BYD CRWN

a straeon eraill

BYD CRWN

CRWN

a straeon eraill

Gyda diolch i Tegwen Llwyd, Ceris Mair James
a Bethan Ellis am eu sylwadau gwerthfawr

Argraffiad cyntaf: 2018
© Hawlfraint Y Lolfa Cyf. a'r awduron unigol, 2018

Cynllun y clawr: Sion Ilar

Rhif Llyfr Rhyngwladol: 978 1 78461 576 5

Ariennir yn rhannol gan Lywodraeth Cymru
fel rhan o'i rhaglen gomisiynu adnoddau addysgu
a dysgu Cymraeg a dwyieithog.

Cyhoeddwyd ac argraffwyd yng Nghymru
ar bapur o goedwigoedd cynaliadwy gan
Y Lolfa Cyf., Talybont, Ceredigion SY24 5HE
e-bost ylolfa@ylolfa.com
gwefan www.ylolfa.com
ffôn 01970 832 304
ffacs 01970 832 782

Cynnwys

Cyflwyniad

Caryl Lewis

PETAI GEN I *super-power* fe fyddwn ni'n chwifio fy hudlath ac yn gwneud pawb yn ddarllenwyr. Yn anffodus, dwi ddim yn dylwythen deg, ac i ddweud y gwir yn onest, alla i ddim perswadio neb i ddarllen. Pam ddylwn i? Oherwydd braint yw darllen. Rhywbeth rwyt ti'n ei roi fel anrheg i ti dy hun. Rhywbeth sy'n dangos fod gen ti hunan-barch a meddwl dy hun.

Dy ddewis di yw agor dy feddwl ac edrych trwy lygaid pobol eraill a chael teithio'r byd i wledydd estron o ddiogelwch dy soffa.

Dy ddewis di yw magu geirfa fydd yn help i ti trwy gydol dy fywyd wrth siarad a chyfathrebu a cheisio deall pobol eraill.

Dy ddewis di hefyd yw i herio'r hyn rwyt ti'n ei weld o dy gwmpas, i archwilio'r byd a sefyll yn chwyrn yn erbyn ac o blaid y pethau rwyt ti'n eu credu.

Dy ddewis di yw arfogi dy hun, addysgu dy hun a datblygu dy hun i fod y gorau y galli di fod.

Dy ddewis di yw byw yn llawn.

Ac efallai byddai'n well gen ti dderbyn pob peth mae pawb yn ei ddweud wrthot ti. Agor dy geg a gadael i'r byd dy fwydo di â llwy. Dilyn llwybr cul gêm gyfrifiadurol sy'n rhoi hit o serotonin i ti bob hyn a hyn er mwyn gwneud i ti deimlo dy fod yn fyw. Efallai byddai'n well gen ti boeni am nifer y 'likes' am ryw ddelwedd ar Instagram. Efallai byddai'n well gen ti aros ar yr wyneb... heb blymio i ddyfnder pethau, heb gwestiynu pam, heb feddwl gormod. Ac os hynny, pob lwc. Mae'r dewis gyda ti. Yr unig beth ddweda i yw, mae'r rhai sy'n aros ar yr wyneb yn medru newid eu byd, ond mae'r rhai sy'n barod i blymio yn medru newid y byd crwn.

Y Daith

Cynan Llwyd

Mae'r dŵr yn diferu i lawr y beipen
sy'n gudd yn waliau'r tŷ.
yn triclo'n ara bach, fel triog.
Mae'r dŵr yn casglu o amgylch ceg y tap
ac fel poer
yn glafoerio, yn hongian ac yn
disgyn yn un perl sgleiniog amhrisiadwy.
Ac yna dim byd.
Sŵn griddfan sych y pibellau'n chwydu'n wag.

*

C LYWODD JOSEFF LEISIAU'R dynion dieithr fel tonfeddi distaw o'r ystafell fyw i lawr y coridor. Roedd y dŵr wedi pallu ers wythnos erbyn hyn a'r poteli cudd o ddŵr cynnes o dan fatres gwely ei rieni yn mynd yn brinnach bob dydd wrth i ymweliadau'r dynion dieithr ddod yn fwy cyffredin. Rhan Joseff o'r ddinas oedd y ddiweddaraf i brofi'r Sychder Mawr.

O'i ystafell wely, a'i glust yn gwpan ar y drws, gallai Joseff glywed trafod arian. Roedd y sgwrsio'n ffyrnig. Gallai glywed enwau strydoedd a phentrefi cyfarwydd ac anghyfarwydd yn cael eu hadrodd fel rhestr siopa. Yn y cefndir clywai fwmian rhythmig ei fam yn crio.

Clywodd sŵn traed trwm yn gorymdeithio ar hyd y coridor. Rhedodd at ei wely. Taflodd y cynfasau drosto. Ffrwydrodd ei ddrws ar agor a daeth tri cysgod tywyll i mewn a'i godi fel petai'n gi. Safai ei dad fel cerflun mud, a'i lygaid euog wedi eu hoelio i'r llawr, a'i fam erbyn hyn yn llosgfynydd o sgrechfeydd. Roedd Joseff wedi'i barlysu gan ofn a chyn iddo allu prosesu'r hyn oedd yn digwydd iddo a beth oedd ei fam yn gweiddi, sodrwyd ef yn sedd gefn jîp a'i yrru ar hyd strydoedd y ddinas, gan wibio heibio cartrefi ei ffrindiau, ei ysgol, y ganolfan hamdden a'r tŷ cwrdd, a phob drws wedi cau ers y Sychder Mawr. Dacw'r cae chwarae amddifad. Dyna ble glywodd e gyntaf am y plant coll. Plant yn diflannu liw nos. Plant a obeithiai am fan gwyn fan draw – yr Almaen, Prydain, hyd yn oed America, y bröydd a lifeiriai o laeth a mêl lle roedd tapiau'n tasgu dŵr, o fore gwyn tan nos.

Diflannodd Hanna, ei chwaer, bythefnos yn ôl.

Cyn pen dim roedd yn teithio drwy fagddu nos yr anialwch a goleuadau'r dref yn pylu y tu ôl iddo.

*

Mae'r jîp yn ymlwybro ar hyd lonydd sychlyd.
Lonydd diawledig o sychlyd. Gwres tanbaid. Heb arwydd o fywyd.
Heb ddŵr. Heb ddim.

Mae'r nos yn ddu, yn ddu fel olew, a'r düwch yn drwchus,
fel petai'r jîp yn nofio drwyddo heb allu cyrraedd glan.
Dim ond boddi wrth ymyl y lan. Ond does dim dŵr.
Mae'r pentrefi'n mynd a dod,
fel tonnau, a'u hwynebau'n drist dan droedfeddi o dywod
heb neb i agor siop.
Heb neb i estyn croeso.
Heb neb i dywallt diod.
Heb ddŵr.
Mae'r jîp yn llusgo'i hun drwy oriau hunllefus y nos.
Dônt yn bererinion i Wlad y Addewid –
gobeithio.
Gan basio potel o ddŵr yn ofalus, o law i law,
Fel petai'n fom niwclear.

*

Sgrialodd y car i stop yn ddisymwth, gan ddeffro Joseff o'i drwmgwsg. Wedi i'r llen o lwch lonyddu tarodd pelydrau crasboeth yr haul ei wyneb. Roedd wedi cysgu drwy'r nos. Doedd ganddo ddim syniad ble'r oedd e erbyn hyn. Daeth poen sydyn i'w frest wrth iddo gofio nad oedd o fewn cyrraedd noddfa breichiau cryf ei dad na choflaid gariadus ei fam. Heb ddim byd ar y gorwel pell i dorri ar undonedd y twyni tywod ni allai Joseff amgyffred milltiroedd y pellter rhyngddo ef a'i rieni, ond gallai deimlo'r gagendor yn ei galon. Yr eiliad honno, yr hyn a ddymunai yn fwy na dim byd arall oedd teimlo goglais barf laes ei dad, a chlywed canu aflafar ei fam wrth iddi goginio. Ni allai wireddu ei freuddwyd, ac wrth edrych i lawr y dyffryn tywodlyd, yn ymestyn o'i flaen, yn garped amryliw diddiwedd, roedd y gwersyll mwyaf a welodd Joseff erioed.

O'i uchelfan, sbiai Joseff ar resi ar resi o bobl yn sgrialu fel morgrug yma a thraw, a heol lydan fel afon yn hollti'r gwersyll yn ddau. Llifai llwybrau llai oddi arni, fel gwythiennau, yn bywiocáu'r gwersyll o'i ganol hyd at yr ymylon. Roedd taclusrwydd ymylon y gwersyll yn awgrymu bod wal o'i amgylch. Yn amddiffynfa neu'n gaethiwed.

Daeth Joseff yn fwyfwy ymwybodol o'r sychder a'i gur pen oedd yn bygwth cracio'i benglog ar agor. Yng nghanol y gwersyll, yn sgleinio fel diemwnt, roedd llyn o ddŵr. Dechreuodd gerdded tuag at y gwersyll, ac atynfa'r llyn fel magned, yn ei wahodd i yfed o'r dŵr, a chyn pen dim roedd yn hanner rhedeg, hanner rolio i lawr y twyni tywod. Roedd ei awydd yn gyntefig; yr awydd cyntaf oedd goroesi. Pan gyrhaeddodd geg y gwersyll roedd chwys a thywod yn grachen dros ei gorff ac edrychai fel petai ganddo afiechyd arswydus ar ei groen.

Ymunodd Joseff â'r rhes hir o bobl, o bob lliw a llun ac o bob oed, yn deuluoedd ac yn unigolion, yn hen ddynion a phlant iau nag e, yn sefyll ac yn aros am fynediad i'r Nirfana y tu hwnt i'r ffens. Roedd sŵn y metropolis neilon y tu draw i'r ffens yn fyddarol. Murmur y miloedd aflafar fel adlais taran ar draws y dyffryn. Wrth glustfeinio ar sgyrsiau pytiog yn y ciw clywodd fod can mil o bobl tu draw i'r ffens, a bod yno ysgolion, ysbytai, tai cwrdd, a thimau pêl-droed. Roedd yna ddynion yn cadw heddwch ac yn gofalu am y gwersyll. Ac yn bwysicach na dim, roedd dŵr yno. Rhaid mai dyma un o lynnoedd dŵr olaf y cyfandir. Doedd dim syndod fod pobl yn heidio yno fel gwyfynod at lamp. Doedd dim syndod fod ei rieni wedi talu crocbris iddo gael dod yma.

Ei rieni. Teimlodd y boen yn ei frest unwaith eto. Gweddïodd ar ei Dduw y byddai ei rieni'n cyrraedd yn y man oherwydd ni allai fwynhau na gobeithio am ddyfodol gwell heb y ddau.

Roedd yr awyrgylch y tu fewn i'r fynedfa'n gymysg o obaith a phryder. Ar hyd y waliau safai dynion arfog mewn lifrai du, fel y dynion a'i gipiodd o'i wely. O amgylch gwddf pob un roedd gwn. Roedd wyneb pob un yn ddiemosiwn a'u llygaid yn fellt, yn fflachio i bob cyfeiriad, yn chwilio. Rhain oedd yn cadw'r heddwch, mae'n siŵr, meddyliodd Joseff. Pam felly eu bod yn gwneud iddo deimlo mor annifyr?

Ciwio. Roedd Joseff yng nghefn y rhes ac yn methu gweld beth yn union oedd yn digwydd yn y blaen. Roedd dau gant o bobl yn y babell, mewn rhesi taclus, fel silffoedd llyfrau ei dad. Erbyn iddo gyrraedd canol y babell roedd y gwres llethol a'r arogl ffiaidd yn codi cyfog arno. Synhwyrai'r aer, a bron y gallai flasu'r surni, y chwys, y baw a'r piso. Gallai hefyd flasu panig cynyddol. Llewygodd ambell un a chael eu codi a'u cario'n uchel allan o'r babell. Eisteddai ambell blentyn lwcus ar ysgwyddau ei rieni, a chenfigennai Joseff wrthynt. Daeth yn fwyfwy ymwybodol mai plentyn oedd e a bod llawer o'i amgylch yn dalach nag e a bod eu cyrff yn cau amdano. Daeth anadlu'n anodd iddo. Gwthiodd. Anadlodd. Methodd. Gwthiodd. Anadlodd. Methodd. Ceisiodd estyn ei freichiau allan a gwthio yn erbyn y dyn o'i flaen er mwyn i'w ysgyfaint allu anadlu. Wrth i'r amgylchiadau ddirywio,

dirywio hefyd wnaeth ymddygiad y bobl. Cynt, roedd dynion wedi trugarhau wrth wragedd a phlant, ond nawr roedd pawb drosto ei hun, yn ymladd am yr hawl i fyw. Roedd gweiddi a chrio yn sugno'r ocsigen prin ac wrth i'r düwch gau amdano daeth wyneb ei fam yn gwenu arno yn fyw o'i flaen nes i glec hyll gwn atseinio.

*

Roedd Joseff ar ei bengliniau a'i ddwylo yn y tywod yn pesychu am aer. Roedd ei lwnc yn llosgi a'i ddillad yn socian. Piso. Chwys. Sylwodd ar bâr o draed o'i flaen. Yn gwenu i lawr arno roedd dyn mewn gwisg wen hir. Meddyliodd Joseff am eiliad ei fod wedi marw a chyrraedd Paradwys.

"Codwch e a rhowch lymed o ddŵr iddo yfed, er mwyn dyn!"

Mewn chwinciad roedd wedi cael ei blycio o'r llawr gan ddau ddyn cydnerth ac yn drachtio'r dŵr puraf, melysaf, oeraf a gwlypaf a brofodd erioed. Gallai deimlo'r dŵr yn llifo i lawr ei wddf, yn golchi llwch y daith ac yn dyfrio'i gorff. Yna, heb rybudd, dyma'r dyn mewn cot wen yn byseddu corff Joseff gan archwilio pob modfedd ohono'n fanwl. Wedi hynny craffodd ar ddwylo Joseff. Bu'n rhaid i Joseff agor ei geg led y pen ac astudiwyd ei ddannedd yn ofalus. Daeth y dyn mewn gwisg wen â'i wyneb o fewn trwch blewyn i wyneb Joseff nes y gallai arogli'r alcohol chwerwfelys ar ei anadl.

"Iawn," meddai'n fodlon. "Ar dy draed!"

Cododd Joseff a gadael i'w lygaid wledda ar yr olygfa. O'i flaen, datguddiodd Nirfana ei hun i Joseff.

Cerdda'r amddifad ling-di-long,
Ar hyd priffordd Paradwys, y promenâd pabellog.
Yn rhesi ar ben rhesi o bolion a neilon, yn blastai di-ffenestr.
Cerdda'n araf araf at grombil y gwersyll.
Arogl bwyd dieithr. Ieithoedd estron.
Dim ysbyty. Dim ysgol. Dynion a'u gynnau'n glên
yn cipio cap hen ddyn,
yn dwyn oriawr un arall,
yn tynnu coes y merched
gan boeri eu chwerthin ar lawr.

Mae'r bachgen yn newynu,
yn awchu am fwyd.
Yn dechrau gofidio wrth i'r haul fachlud a'r tymheredd blymio.
Syr? Miss? Oes lle yn y llety?

*

Wrth ymbalfalu o'i gwsg breuddwydiodd Joseff a meddwl ei fod
gartref. Clywodd ganu aflafar ei fam yn dod o'r gegin a phapur
newydd ei dad ar y bwrdd bwyd. Y coffi'n ffrwtian a chartwnau
ei chwaer ar y teledu. Yn yr eiliadau hynny rhwng cwsg ac effro
roeddent unwaith eto'n deulu dedwydd.

"Bore da."

Gyda'r cyfarchiad cras deffrodd Joseff. Roedd dyn yn eistedd yno'n ei wylio. Roedd y babell fel ffwrn a Joseff yn ei ddillad o dan y flanced fel toes yn chwysu. Ni hoffai wên ffals y dyn. Gwenai arno fel ysglyfaethwr yn hel ei ysglyfaeth. Llyncodd Joseff yn sych, a'r tro hwn nid gwres oedd yn gyfrifol. Gwelodd gyllell yn sgleinio ar wregys y dieithryn.

Syllodd Joseff yn fud. Cododd y dyn yn fygythiol a chododd Joseff ei ddwylo i'w amddiffyn ei hun.

"Dy'n ni ddim yn mynd i dy frifo di. Paid poeni. Fe gei di ddechrau gweithio'n syth. Ond beth am ddweud diolch i ni am dy achub?" gofynnodd y dyn. Llwyddodd i swnio'n gyfeillgar ond yn llawn malais ar yr un pryd.

"Diolch," atebodd Joseff yn dawel.

"Alla i ddim dy glywed di!"

"Diolch..." dywedodd Joseff eto, yn uwch.

"Dyna welliant. Nawr dere i ga'l brecwast cyn i ti fynd allan i weithio."

Edrychodd Joseff yn ddryslyd.

"Ti'n un ohonon ni nawr, fachgen. Yn un o'r Heddlu Heddwch. Yn cadw trefn, gwneud yn siŵr fod pawb yn... cydweithredu. Cwyd. Dere i ga'l brecwast gyda'r criw. Ahab," cyflwynodd y dyn dieithr ei hun iddo ac estyn llaw at Joseff. Y peth olaf roedd Joseff am wneud oedd cyffwrdd â'r dyn atgas yma, ac ymuno â'i griw. Ond doedd dim dewis ganddo.

Arweiniodd Ahab Joseff allan o'r babell. Clywyd cŵn yn cyfarth a chadwynau rhydlyd yn gwichian eu protest. Roeddent mewn iard wedi'i hamgylchynu â phebyll. Yng nghanol yr iard roedd bwrdd pren a soffas budr oren, tyllog, ac yn eistedd arnynt roedd criw brith o ddynion a bechgyn a drodd eu sylw at Joseff. "Croeso i'r cwmni."

Safodd un ohonynt gan daflu gwên ddieflig ato. Estynnodd ei law. Anesmwythodd Joseff. Chwibanodd y dyn gyda'i fysedd. Un chwibaniad awdurdodol. Gwelodd Joseff ferch ifanc yn cerdded tuag atynt o un o'r pebyll yn cario hambwrdd. Wrth iddi nesáu a chodi'i hwyneb, dychmygodd Joseff am eiliad mai ei chwaer oedd yno. Ond na. Yr un oed, yr un mop o wallt trwchus tywyll. Sylwodd Joseff ar glais lliw'r wawr o dan ei llygaid a'i thrwyn cam. Darllenodd yr ofn yn ei llygaid. A'r rhybudd.

*

Crwydra'r bachgen o amgylch y gwersyll
yn un o'r criw yn poenydio a bwlio.
Gwthia'r criw ef i gyflawni'r annynol:
dwyn bwyd plentyn oddi ar fam lwglyd,
dwyn dŵr dyn sychedig,
dwyn sigarennau heb gynnig dim yn ôl.

Dyma'r drefn. O ddydd i ddydd;
cerdded, cymryd, cadw'r heddwch.
Neb yn protestio
yn erbyn y drefn.

*

"Joseff, tyrd yma."

Brasgamodd Ahab o babell Joseff – nid oedd rhaid aros am ateb oherwydd gwyddai y byddai Joseff, fel pawb arall, yn gwrando arno fel ci ufudd. Casâi Joseff ymweliadau Ahab, oherwydd câi ei anfon ar hunllef o dasg bob tro. Bob wythnos deuai gorchmynion mwy eithafol, fel petai Ahab yn hyfforddi ci, yn arbrofi i weld i ba eithafoedd y gallai wthio'i anifail. Dilynodd Joseff Ahab ar hyd yr iard tuag at bebyll y merched. Doedd e ddim wedi bod yn un o'r pebyll yma eto, ond gwyddai fod Ahab a'r dynion eraill yn ymwelwyr rheolaidd gyda'r nos, a briwiau'r merched yn brawf o hynny.

Camodd Ahab i mewn i un o'r pebyll ond oedodd Joseff y tu allan. Roedd ofn yn fur rhyngddo a'r babell. Ni wyddai beth oedd o'i flaen.

"Joseff!"

Camodd Joseff i mewn. Wedi ei chlymu wrth bostyn yng nghanol y babell, yn chwys ac yn waed a'i dillad carpiog yn datguddio'i chorff ifanc, eiddil a briwedig, roedd y ferch a atgoffai Joseff o'i chwaer, Hanna.

"Mae hon wedi bod yn ferch ddrwg iawn," dywedodd Ahab yn chwareus. "Wedi cael ei dal yn dwyn dŵr."

Protestiodd y ferch er gwaetha'r tâp am ei cheg. Camodd Ahab ati a'i tharo ar draws ei boch. Ymdawelodd yn syth. "Ry'n ni'n gwbod beth sy'n digwydd i ladron. Joseff, fe gei di'r fraint."

Gadawodd Ahab i'w gyllell gwympo yn y tywod wrth draed Joseff, cyn gadael y babell. Safodd Joseff fel delw, ei galon ar garlam a'i feddwl ar chwâl.

Syllodd ar y gyllell, ac yna ar y ferch. Cododd y gyllell a'i theimlo'n ysgafn a naturiol yng nghledr ei law. Camodd tuag at y ferch a rhoi un ergyd nerthol.

Tawelwch.

Cwympodd y ferch i'r llawr a'i dwylo'n rhydd. Aeth Joseff ati'n syth gan dynnu'r tâp oddi ar ei cheg a chynnig llymaid o ddŵr iddi o'i botel ei hun. Dau ddieithryn ar goll yn yr anialwch. Dau ffoadur yn ysu am ddychwelyd adref.

*

Yn plygu a gwyro yma a thraw
  rhwng y cŵn sy'n brathu a'r rhaffau sy'n baglu.
    Yn plygu mewn rhwyg yn y ffens a'u dillad yn bachu,
mae'r anialwch o'u blaenau, y sychder a'r llwch.
      Mentrant heb golofn tân na llwybr i'w
  harwain adref.
      Mentrant yn sychedig a'r dŵr yn diflannu.

Pen Draw'r Enfys

Llinos Dafydd

A'R GLAW YN wylo ar ei ffenest, a'r dail yn gollwng eu gafael ar y coed, penderfynodd Lora Haf ei bod hi'n bryd.

Llenwyd y stafell â fflach o oleuni, ac wedyn murmur pell, wrth i'r storm y tu allan godi twrw. Ond doedd ar Lora ddim ofn. Welai hi a chlywai hi ddim byd ond tywyllwch, a'r lleisiau gofidus yn ei phen, beth bynnag. Cofiodd am y gwawdio, y galw enwau, y tynnu coes, y poeri, y baglu a'r pwnio; a rhoddodd ei phen yn ei dwylo.

Yn araf bach, edrychodd ar ei hadlewyrchiad yn y drych yn ei stafell wely, a gweld cysgod o ferch. Roedd y dagrau'n pallu – doedd dim pwynt wylo. I beth? Roedd hi wedi penderfynu. Yn derfynol.

Tan heno, roedd ei meddwl wedi bod yn llawn meddyliau tywyll ac atgas, a fflachiadau o greulondeb merched ei dosbarth yn chwyrlïo'n ddiddiwedd, ddydd a nos. Hyd yn oed yn ei chwsg.

Ond er mawr syndod iddi, heno roedd ei meddwl yn wag. Tawelwch o'r diwedd. Am fod ganddi'r ateb, yr ateb i sut i roi taw ar y rhai fu'n cega arni ers blynyddoedd. Y rhai fu'n edrych i lawr eu trwynau arni, ac yn brifo ei meddwl a'i chorff.

Yn ogystal â'r cleisiau ar ei choesau lle cafodd gic gan Jess, a'r llosg ar ei bys bach ar ôl i Heti ddal ei llaw ar y rheiddiadur chwilboeth, roedd ganddi graith enfawr yn ei meddwl. Un nad oedd yn gwella.

Gosododd ei thedi fu'n gyfaill oes iddi ar ei gwely, ac anelu am y drws ar flaenau ei thraed.

A'r coed yn crynu, a'r gwynt yn chwibanu drwy'r waliau cerrig, gwenodd Lora Haf am y tro cyntaf ers talwm.

*

"*Sgrechia di unwaith 'to, a wna i dy fywyd di'n fwy o uffern, cred ti fi!*"

Roedd Jess yn llawn malais, wrth iddi ddal Lora gerfydd ei gwallt.

"*Beth wyt ti'n mynd i neud nawr, Lora? E? Gwed wrtha i,*" *mynnodd Jess yn sbeitlyd, a chriw o ferched y tu ôl iddi'n piffian chwerthin.*

"*Ymmm,*" *meddai Lora'n ddistaw, gan glirio ei llwnc. "Dwi'n mynd i ddwyn arian o fag Miss Jones.*"

Llifodd y dagrau, ac roedd calon Lora'n ras wyllt.

"*Pam fi?*" *holodd iddi hi ei hun. "Pam fi, eto?*"

Un dasg o nifer oedd hyn iddi, a hynny'n ddyddiol. Doedd dim stop arnyn nhw, a rhaid oedd ufuddhau.

*

Roedd y llwybr cul yn garped sgleiniog o ddail o'i blaen, dan olau gwan y lleuad. Doedd dim i'w glywed ond sŵn y gwynt a'r glaw o'i chwmpas; doedd yr anifeiliaid ddim hyd yn oed wedi dod i gyfarch y storm heno. Ai dyma'r ateb go iawn? Cyrraedd pen draw'r llwybr, a dyna ni?

Doedd dim pwynt carlamu, a'i phen i lawr. Nid yn yr ysgol oedd hi nawr, diolch byth. Doedd dim rhaid iddi asesu bob cam ac edrych dros ei hysgwydd, rhag ofn...

Am unwaith, edrychodd i fyny, a thynnu anadl fawr, hir. Roedd y glaw oedd yn ymlwybro i lawr ei hwyneb yn deimlad mor rhydd a ffres. Roedd yn rhyddhad cael bod allan, a'r elfennau'n gwneud eu gwaethaf yn yr hen fyd.

Ond yn wahanol i ergydion y merched, roedd hi'n cofleidio'r storm gyda breichiau agored. Roedd hi'n rhydd, o'r diwedd.

*

"Lora Haf! Stafell y Prifathro, NAWR!"

Dim byd newydd. Stŵr arall, diolch iddyn nhw, ond fiw iddi sibrwd gair amdanyn nhw, neu byddai ei bywyd hyd yn oed yn fwy o uffern.

"Lora Loser,*" sibrydodd Jess dan ei gwynt, a chriw o ffrindiau wrth ei chynffon yn gwenu'n fuddugoliaethus.*

"Un gair, a byddi di mewn cythraul o dwll," rhybuddiodd Jess, wrth i Lora ei phasio, a gyda hynny dyma hi'n ei baglu cyn iddi fynd i ffau'r llewod.

"Lora Haf, tynna dy hunan at ei gilydd, a gwna dy hunan yn daclus o leia!" bloeddiodd Miss Jones arni'n ddiamynedd.

Roedd hi'n socian, o'i chorun i'w sawdl, a'r llwybr dan draed yn wlyb stecs. Roedd yr awyr ar dân, a'r mellt yn dangos eu dannedd fesul fflach. Ond roedd Lora'n dal i gerdded, gam wrth gam, i fyd gwell. Wrth gyrraedd yr afon fach o'r diwedd, a hithau erbyn hyn yn dywyll fel bol buwch, a'r storm wedi distewi, dyma Lora'n penlinio wrth ymyl y dŵr. Plygodd ei phen am hanner munud, ac yna tynnodd ei hesgidiau cyn gosod ei thraed yn yr afon.

Tarodd y dŵr ei thraed fel llafn cyllell. Roedd yr oerfel yn ormod iddi, ond eto arhosodd yn ei hunfan, a gydag amser daeth i arfer â'r teimlad, a throellodd ei thraed er mwyn creu rhychau yn y dŵr.

Cofiodd iddi wneud hyn ers talwm gyda Mam-gu Cnwcyfallen. Yr un wnaeth ddysgu iddi sgimio cerrig ar draws yr afon. Yr un wnaeth ddeffro ei dychymyg i greadigrwydd yn yr awyr agored, drwy gasglu manion naturiol, hardd, a'u hailddefnyddio mewn gweithiau celf amrywiol. Yr un wnaeth yn siŵr ei bod hi'n gweld harddwch ym mhob peth byw...

O, am gael mynd yn ôl i'r dyddiau dibryder yna, meddyliodd. Ond ysgydwodd ei phen. Doedd byth modd mynd yn ôl at hynny, a doedd fiw iddi feddwl am y peth.

Dyma'r pen draw iddi. Dyna ni.

A'r tywydd bellach wedi tawelu, eisteddodd Lora i fwynhau'r awyrgylch, cyn rhoi diwedd ar hyn oll.

.

Roedd camau sodlau uchel Miss Jones yn atseinio yn y coridor gwag, wrth arwain Lora Haf at y Prifathro. Roedd pawb arall yn eu gwersi, a Lora'n disgwyl am ei ffawd am ddwyn yr arian.

"Mewn!"

Llais cadarn a chryf y Prifathro, ac yno roedd yn eistedd, a'i sbectol yn gorffwys ar flaen ei drwyn, a mynydd o waith papur ar ei ddesg.

"Lora Haf. Beth sy'n bod tro hyn 'te?"

Dyma Miss Jones yn dweud yr hanes, a'i llais yn rhyfeddol o dawel er mawr syndod i Lora. Ond roedd hynny oherwydd bod curiad ei chalon ei hun mor uchel. Aeth popeth arall yn aneglur, wrth i Lora gadw ei phen i lawr a thrio nodio yn y mannau cywir.

Ond mi glywodd eiriau olaf y Prifathro fel cloch.

"Lora Haf, os wyt ti am gyrraedd pen draw'r enfys yn yr hen fyd yma, rhaid i ti newid dy ffordd."

*

Gwisgodd Lora ei hesgidiau a chamu'n ofalus trwy'r coed, er mwyn ffeindio'r llecyn perffaith. Baglodd dros y brigau ar lawr, heb ddisgyn, diolch byth. Penderfynodd ddilyn ei thrwyn, a thoc cyrhaeddodd lwybr cyhoeddus troellog. Yna, sylwodd ar oleuni! Am le anghysbell i fyw, meddyliodd. Syllodd ar y tŷ am dipyn a gwelodd deulu yn eistedd y tu fewn.

Eisteddodd. Doedd hi ddim wedi sylweddoli pa mor flinedig oedd hi, ac erbyn hyn roedd ei thraed hi'n brifo. Cyn iddi droi, clywodd sgrech uchel.

"NAAAAAA!"

Llais merch, llais gofidus.

Suddodd Lora ymhellach yn ôl i'r clawdd, rhag i neb ei gweld hi. Roedd ei chalon ar garlam.

Sŵn llefain mawr, ac yna'n sydyn, daeth llais dyn.

"Cer o 'ngolwg i – ti'n troi arna i!"

Gwelodd ferch yn cael ei thynnu allan trwy ddrws y tŷ gerfydd ei gwallt gan ddyn tipyn hŷn na hi, ac yna cafodd ei gwthio i'r llawr yn ddiseremoni, i ganol y pridd.

"Ti'n lwcus nad o dan y pridd wyt ti, *bitch*!"

Poerodd y dyn arni'n sbeitlyd, yna troi'n ôl tuag at y tŷ a chau'r drws yn glep.

Clywodd Lora'r ferch, druan, yn snwffian ac yn llefain yn dawel bach, wrth drio llusgo'i hun drwy'r prysgwydd tuag at y tŷ. Aeth hi ddim yn bell iawn, ac fe orweddodd y ferch mewn pelen, dan grynu.

Yna, yn sydyn, rhewodd Lora drwyddi. Daeth panig i'w llygaid. Mentrodd.

"Jess?"

Syndod.

Ie. Jess. Yr un fu'n gwneud ei bywyd yn uffern ar y ddaear ers blynyddoedd. Yr un wnaeth regi arni, a rhwygo'i hunanhyder yn llwyr.

Jess. Yn yr hanner eiliad yna o aros i'r ferch droi ei hwyneb tuag ati, dychmygodd Lora y gallai hi roi coblyn o gic iddi, rhwygo ei chroen yn rhacs, gweiddi pethau hyll arni...

Ond na.

Sobrodd.

"Lora? Be ddiawl wyt *ti'n* neud 'ma?"

Llefain y glaw wedyn – yn ddiddiwedd. Y ddwy ohonyn nhw.

Claddodd Jess ei dwylo yn ei hwyneb, gan deimlo'r dagrau hallt yn llosgi ochrau ei llygaid.

Saib hir wedi'r syndod.

"Shshsh," meddai Lora, gan roi taw ar fwy o siarad. "Dere."

I ffwrdd â'r ddwy yn ôl am adref, i gartref Lora, at gynhesrwydd, gwres, a chyfeillgarwch...

*

Wrth ddeffro yn y bore, ar ôl braidd dim cwsg, carlamodd Lora i'r ysgol yn llawn hyder, gan lorio pawb gyda'i hagwedd newydd.

Bywyd o'r newydd, rhaid brwydro mlaen gyda gwên, doedd bosib?

Ond roedd un peth yn sicr. Nid carped ar lawr oedd hi mwyach, nid targed. Nid rhywun i alw enwau arni chwaith. Ond unigolyn, gydag uchelgais. Gydag awch am fywyd, ac ateb plwmp a phlaen i unrhyw un a fyddai'n mentro ei bychanu.

Er gwaetha'r geiriau hyll a'r ergydion corfforol a meddyliol a gafodd Lora gan Jess ers blynyddoedd, erbyn hyn, daeth i ddysgu nad oedd bywyd yn fêl i gyd iddi hithau chwaith.

Y ddwy ohonynt, yn yr un cwch, bron.

Ond wele...

Lora Haf o'r newydd.

Lora Haf ddisglair.

Lora Haf liwgar.

Oedd. Roedd hi'n mynd i gyrraedd pen draw'r enfys, gyda gwên.

Croesi Ffin

Sian Northey

D OEDDWN I ERIOED wedi cerdded cyn belled. Roeddan ni
wedi bod yn cerdded trwy'r nos. Roedd fy nhraed i'n brifo, a
'nghoesau i'n brifo, ond y peth gwaethaf un oedd yr ofn. Roeddwn
i wedi clywed pob math o straeon am yr hyn oedd yn digwydd i
bobl oedd yn cael eu dal y tu allan i'w cwmwd heb y papurau iawn.
Roeddwn i'n flin ein bod ni'n mentro fel hyn dim ond oherwydd
rhywbeth oedd wedi cael ei adael yng nghefn drôr er y flwyddyn
2017. Doedd neb wedi meddwl amdano am ddegawdau nes i
Dyl fynd i fusnesu. A rŵan roeddan ni wedi cerdded a cherdded,
ac roedd llawer o ffordd i fynd eto. Ar adegau roedd rhaid i ni
gerdded ar y ffordd a phob tro roeddwn i'n clywed cerbyd yn
agosáu roeddwn i'n neidio i'r gwrych ac yn cuddio.

Ond wnes i ddim cuddio yn ddigon da y tro diwethaf ac fe
stopiodd y cerbyd milwrol. Camodd milwr allan a deud wrthan ni
am fynd ato. Erbyn hynny roeddwn i'n crio.

"Cerdyn adnabod!" arthiodd.

Dechreuodd Dyl ymbalfalu trwy ei bocedi fel petai'n methu cael
hyd i'w gerdyn. Y cwbl wnes i oedd sefyll yno. Roedd fy ngherdyn
yn fy mhoced fel y mae o bob tro ond byddai ei ddangos wedi

gwneud pethau'n waeth a ninnau erbyn hyn ymhell o'n cwmwd ni. Roedd llaw'r milwr yn gorffwys ar ei wn ac roedd yn amlwg yn dechrau colli amynedd. Ond yna gwaeddodd ei bartner arno o'r cerbyd.

"Ty'd! Gad nhw! Argyfwng! Cod 734!"

Doedd gen i ddim syniad beth oedd cod 734 yn ei olygu ond roedd yn rhaid ei fod yn bwysig. Yn bwysicach na dau blentyn yn cerdded ar hyd ffordd yn hwyr yn y nos. Trodd y milwr oedd yn ein holi ni yn ôl at y cerbyd yn syth gan weiddi dros ei ysgwydd,

"Cerwch adra'r diawled bach!"

Eisteddais ar ochr y ffordd yn sychu fy nagrau ac yn gwylio golau'r cerbyd yn diflannu i'r tywyllwch.

"Chdi 'di'r bai," meddwn.

"Sori."

Ac mi oedd o'n edrych yn sori. A'i fai o oedd o. Petai Dyl heb gael hyd i'r hen lun yna o Nain falla 'san ni heb gychwyn. Falla 'sa Dyl wedi gwneud be mae pawb arall yn ei neud ar eu pen-blwydd yn bymtheg oed – dwyn potal o win a mynd i'r chwarel, ac esgus bod yn fwy chwil nag ydach chi go iawn er mwyn cael closio at rywun 'dach chi'n ffansïo. Ond pan 'nes i sôn am hynny efo fo, chwerthin wnaeth o.

"Parti plant bach! Dwi isio neud rwbath go iawn i ddathlu fy mhen-blwydd."

"Be?" medda fi, gan orwedd ar wastad fy nghefn yn yr haul ar ôl dringo i dop Moel Gam.

"Eistedda i fyny."

Ac mi godais ar fy eistedd. Roedd ein pentref ni y tu ôl i ni ond roedd Dyl yn edrych i'r cyfeiriad arall ac yn pwyntio tuag at y gorwel. Mae'n bosib gweld yn bell, bell o ben Foel Gam.

"Wyt ti'n ei weld o? Wyt ti'n ei weld o'n las ac yn loyw?"

Ac mi oeddwn i'n gallu gweld darn bach glas, gloyw yn y pellter.

"Dwi isio mynd i fan'na. Ddoi di efo fi?"

"At y môr?" medda fi. "'Dan ni ddim yn cael mynd at y môr."

Dwi'n meddwl y byd o Dyl, fo ydi fy hoff gefnder, ond weithiau mae o'n deud pethau gwirion. Roedd o'n gwybod yn iawn nad ydan ni'n cael mynd at y môr, na chaiff neb deithio y tu allan i'w gwmwd. Yr unig rai sy'n cael croesi ffiniau'r cwmwd ydi'r rhai sy'n llenwi'r ffurflenni ac sy'n llwgrwobrwyo'r swyddogion i gael trwydded deithio. Tydi pobl gyffredin fel ni ddim yn gallu cael trwydded deithio. Tydi pobl gyffredin fel ni ddim yn gallu mynd at y môr.

A dyna ddeudis i wrth Dyl.

"Ond," medda fo, "mi oeddan nhw ers talwm. Mi oedd pawb yn cael mynd i lle bynnag oeddan nhw isio ers talwm."

"Paid â bod yn wirion!" medda fi.

A dyna pryd y tynnodd o'r llun allan o boced ei gôt. Hen, hen lun oedd o. Llun o hogan tua'r un oed â ni yn sefyll mewn dŵr. Siorts oedd amdani ac roedd y dŵr yn cyrraedd bron at ei phengliniau, ac yn ymestyn hyd at y gorwel. Y tu ôl iddi roedd pobl yn gwenu, a dau gwch yn y pellter.

"Pwy ydi hi?"

"Nain, siŵr."

Edrychais eto ar y llun, a rhywle yn wyneb yr hogan mi allwn i weld yr hen wraig annwyl oedd wedi marw ychydig fisoedd yn ôl. Neu falla 'mod i'n gallu gweld bod wyneb yr hogan ifanc yn y dŵr wedi aros yn wyneb Nain. Trodd Dyl y llun drosodd a darllenais:

Awst 3ydd, 2017. Pen-blwydd Lisa yn 15 oed. Traeth y Morfa.

"Felly, dw inna am ddathlu fy mhen-blwydd ar lan y môr," meddai Dyl a'i wyneb yn hanner gwenu a hanner herio.

"'Sa'n rhieni ni ddim yn gada'l i ni fynd. A 'sa rhaid i ni ddangos papura wrth fynd heibio'r milwyr."

"Ydi dy rieni di'n gwbod lle 'dan ni rŵan?"

"Wel..." dechreuais, ac yna sylweddoli nad oeddan nhw'n gwybod yn union lle'r oeddwn i. Mi oeddwn i wedi deud wrth Mam 'mod i'n mynd am dro efo Dyl, ond ddim mwy na hynny.

"A phetawn i'n cerdded ar draws y cae acw fyddai 'na filwr yn fy stopio?"

"Na fysa," meddwn i.

"A'r cae wedyn?"

"Wel..."

"Wneith neb amau dau blentyn yn cerdded ar draws cae. Ac fe fydd darn go lew o'r daith trwy goed, ac fe fydd lot ohoni hi yn y tywyllwch."

Roedd Dyl wedi cario bag efo fo i ben Moel Gam. Tynnodd fap allan o'r bag, ond nid map o'n cwmwd ni yn unig oedd o, fel oeddan nhw'n ei ddangos i ni yn yr ysgol, â phob man y tu hwnt i ffiniau'r cwmwd wedi ei liwio'n llwyd. Roedd hwn yn fap o'r tir yr holl ffordd at y môr. Edrychais arno mewn syndod.

"Roedd o yn y drôr efo'r llun," meddai Dyl.

Rhedais fy mys ar hyd yr holl ffyrdd ar y map oedd yn arwain allan o'r cwmwd. Heddiw, dim ond tair ffordd oedd yna a phob un yn fan croesi swyddogol efo giât a milwyr. Mae hynny'n ei gwneud hi'n haws i'r awdurdodau wybod lle mae pawb.

Rhoddodd Dyl ei fys ar linell fain felyn.

"Dwi'n gobeithio ei bod hi'n dal yn bosib cerdded ar hyd hon."

Mi wnes i ryw sŵn nad oedd yn 'ia' nac yn 'na'. Mi oeddwn i isio deud bod y map yn dlws, ond wnes i ddim deud hynny chwaith.

"Ac mae gen i fwyd, a phres, a chydig o ddillad. Ac os gerddwn ni trwy'r nos mi ddylan ni fod yno erbyn bora fory. Gorffennaf y 4ydd. Ac adra'r diwrnod wedyn."

"Na!"

Anwybyddodd Dyl fi a dechrau canu "Pen-blwydd hapus i fi, pen-blwydd hapus i fi..."

"Na!" meddwn i eto. Esboniais nad oeddwn i isio cael fy saethu gan filwr, nad oeddwn i isio dwyn gwarth ar fy nheulu petawn i'n cael fy nal, nad oeddwn i isio gweld y môr...

"O wyt, mi wyt ti isio gweld y môr. A phan fyddwn ni'n hen ac yn dal i fyw yn fan'na," pwyntiodd yn ôl at y pentref, "mi fyddwn ni wedi deud 'Stwffio'ch rheola gwirion chi, mi naethon ni, un waith, fynd allan o'r cwmwd ac i lawr at y môr'!"

Mi oedd rhan o hyn yn wir. Mi oeddwn i a Dyl wedi cwyno sawl tro nad oedd hi'n deg fod yn rhaid i bawb aros yn eu cwmwd trwy'u hoes – ni yn ein cwmwd ni a phobl eraill yn eu cwmwd nhw. Ond doeddwn i ddim yn disgwyl iddo wneud dim byd am y peth go iawn. Cododd Dyl ar ei draed.

"Fedri di ddim mynd adra a deud 'mod i wedi dengid at y môr, na fedri di?"

Ac mi oedd o'n iawn. Allwn i ddim neud hynny.

Tynnais fy ffôn o fy mhoced.

"Dwi'n aros yn nhŷ Dyl heno, Mam."

Ac yna mi ffoniodd Dyl i ddeud ei fod o'n aros yn tŷ ni. Weithiau mae pethau'n rhy hawdd.

Ac weithiau maen nhw rhy anodd. Maen nhw'n rhy anodd pan mae milwr yn eich holi a chitha heb y papurau iawn a dim ond lwc yn eich achub. A rŵan, ar ochr ffordd ymhell o adra, mi oeddwn i'n difaru na fysa Mam wedi gwrthod gadael i mi aros yn nhŷ Dyl.

Pasiodd Dyl ddarn o daffi i mi.

"Dwi isio mynd adra," meddwn trwy lond ceg o daffi.

"Ty'd," medda fo, "'dan ni bron iawn yna. Ac fe fydd hi'n gwawrio mewn munud. Ac mi fyddi di adra fory, a phob diwrnod wedyn am byth."

Codais a dechrau cerdded. Ac roedd Dyl yn iawn. Mi wnaeth hi ddechra gwawrio, ac mi oeddwn i'n gallu gweld bod y tirlun yn wahanol i adra, yn fwy gwastad, a choed diarth yno. Roeddan ni'n pasio ychydig o dai, ac roedd y rheini fymryn yn wahanol i'n tai ni. Daeth gwraig allan o'i thŷ a dweud 'Bore da', ac roedd ganddi acen wahanol. A mwyaf sydyn roeddwn i'n falch 'mod i wedi dod efo Dyl, ac wedi cerdded nes bod fy nhraed a 'nghoesau i'n brifo, ac wedi mentro, wedi mentro go iawn, yn hytrach nag aros adra.

Roedd yna allt fechan o'n blaenau a phan gyrhaeddon ni dop honno mi welis i o – y môr! Ac os dach chi heb weld y môr o'r blaen does ganddoch chi ddim syniad pa mor hardd ydi o. Roedd o'n disgleirio yn haul y bore, ac yn symud, ac yn gwneud sŵn.

"Oeddat ti'n gwbod ei fod o'n neud sŵn?" gofynnais i Dyl.

Ysgydwodd ei ben.

"Pen-blwydd hapus!" meddwn, a'i gofleidio.

Aethon ni'n dau i lawr at y dŵr, y dŵr oedd yn ymestyn at y gorwel. Roedd cwch yno, a phont yn arwain ato. Roedd pobl yn cerdded dros y bont ac yn mynd ar y cwch, ac roedd pawb yn cario bagiau.

Gwaeddodd un ohonynt arnon ni.

"Hei, 'dan ni'n cychwyn mewn pum munud os dach chi am ddod efo ni."

Edrychais ar Dyl, ac edrychodd Dyl arna inna.

Ac fe edrychon ni'n dau ar y cwch, ac ar y gorwel, ac ar y môr oedd yn las ac yn loyw ac yn gwneud sŵn fel siffrwd siarad.

Edrychon ni'n dau ar y rhain i gyd, cyn penderfynu...

Byd Crwn

Dylan Huw

Y MDDANGOSODD DROS NOS. Wnaeth e ddim *cyrraedd*; ymddangosodd – y tu hwnt i unrhyw eglurhad.

Ymddangosodd, mewn modd tebyg i sut mae seren yn ymddangos mewn awyr dywyll. Ond yn yr achos hwn roedd y seren yn ddu, ychydig fetrau yn unig o'r ddaear, ac yn dal i fod yno ar ôl iddi wawrio. Erbyn canol y bore – bore o awyr las, aer llachar, awel gynnes – roedd mwyafrif trigolion Craigwerdd wedi ymgasglu ar y traeth i syllu i'r awyr ar y gwrthrych du rhyfedd oedd yn hofran uwch eu pennau. Dechreuodd y trigolion alw'r gwrthrych yn ddrôn yn syth, er nad oedd syniad gan unrhyw un beth gallai ei swyddogaeth fod. Ni symudai yr un fodfedd, dim ond hofran yn annaturiol o sefydlog yn yr aer, yn ddigon agos i'r ddaear i beidio â bod yn rhan o lesni'r awyr ond yn ddigon uchel uwchlaw'r tywod i beidio â bod o fewn cyrraedd unrhyw fod dynol.

O'r drôn, diferai hym undonog, dawel.

Ar y dechrau, roedd ymddangosiad anesboniadwy'r drôn yn ffenomenon. Hen gymuned racsiog oedd Craigwerdd, gydag ychydig ddwsinau o dai wedi eu gwasgaru ar hyd ffordd darmac gul yr ochr arall i dwyni tywod y traeth anferth, ynysig. Ond dros nos, daeth y pentref bach diarffordd yn destun cryn sylw yn genedlaethol ac yn rhyngwladol. Pam yn y byd oedd drôn wedi ymddangos yno, o bob man? Ond wedi ychydig ddyddiau, trodd hymian y gwrthrych du yn un haen arall o drac sain Craigwerdd, a'r diddordeb ffanatig mewn trio canfod gwir reswm ei ymddangosiad yn cilio'n raddol.

*

Bore ymddangosiad cyntaf y drôn, trwy gyd-ddigwyddiad, oedd y bore y cyrhaeddodd Alaw Emrys bentref Craigwerdd. Aeth y gyrrwr i'w deffro o'i thrwmgwsg yng nghefn y bws gan gymryd ei bod hi wedi colli ei stop; prin iawn oedd y bobol a deithiai'n bell i ymweld â Chraigwerdd, cymuned diwedd-y-lein os buodd un erioed. Tan y diwrnod hwn, o leia.

Roedd Alaw yn y pentref i wneud ymchwil ar gyfer prosiect roedd hi'n gweithio arno ar gyfer ei harholiad TGAU Celf. Mewn stori newyddion ar-lein roedd hi wedi darllen am sut y cafodd twyni tywod y pentref bychan arfordirol hwn eu defnyddio yn ystod un o'r rhyfeloedd byd fel safle i hyfforddi milwyr i ddelio â bomiau. Ar un blog, honnodd rhywun y gallai fod bomiau heb ffrwydro yn dal i orwedd ar draeth anial Craigwerdd. Awchai Alaw i gael profi aer pur a hanesion cyfoethog tirweddau'r pentref diarffordd, a chael heddwch i ddatblygu ei syniadau.

Yn syth ar ôl camu oddi ar y bws yn drwsgl, gyda'i rycsac

ysgafn ar ei chefn a'i chanfasau mawr o dan ei breichiau, gwelodd Alaw y clwstwr o bobol yn sefyll yn llonydd ar y traeth. Roedd traeth Craigwerdd yn union fel roedd hi wedi ei ddychmygu; yn euraidd, ac yn rhoi'r teimlad o fod yn wag hyd yn oed pan oedd yn llawn pobol, a'r gorwel yn ymestyn ymhellach na'r un gorwel iddi ei weld erioed. Cerddodd ar hyd y llwybr pren tuag at y tywod, gan nesáu at y grŵp annisgwyl o bobol oedd wedi ymgasglu, cyn iddi sylwi ar y smotyn du yn hofran uwch eu pennau. Roedd e'n fach; prin y gallech ei weld o'r ffordd. Ar ddiwedd y llwybr pren, safodd yn stond i syllu ar yr olygfa, a thynnu ei chot yn dynnach amdani. Roedd rhyw deimlad oeraidd am y bore, roedd rhaid iddi gyfaddef.

"Alaw?"

Rhewodd wrth glywed llais henaidd yn galw ei henw o gyfeiriad y grŵp o bobol a safai o dan y drôn. Ar ôl ychydig eiliadau sylwodd ar ddynes yn cerdded ati gan ailadrodd,

"Alaw! Alaw?"

"Ie... Sut ti'n gwyb—"

"Sdim isie i ti sefyll mor stond fan'na! Ti yw Alaw, ie? Yma ar gyfer y bwthyn? Ti 'di dewis yr amser iawn i ddod i Graigwerdd. Smo ni 'di gweld ecseitment fel hyn ers sbel. Dilyna fi..."

Y ddynes ryfedd hon oedd perchennog y bwthyn roedd Alaw wedi ei archebu ar-lein i aros am ddwy noson. Edrychai ymlaen at gael llonydd mewn lle delfrydol i gael ei hysbrydoli gan yr amgylchedd. Safai'r adeilad bach ar ddarn fflat o dir uwchlaw'r twyni, rhyw dri chan llath o lle'r ymgasglodd y trigolion ar y traeth. Roedd hi'n syndod bod unrhyw adeilad yn gallu bodoli'n gadarn ar y fath sail, heb sôn am fwthyn rhacsiog oedd yn amlwg wedi gweld dyddiau gwell. Ar ôl iddi ddangos y bwthyn i Alaw yn gyflym, gadawodd y ddynes, ac ni welodd Alaw mohoni eto.

*

Deffrowyd Alaw ar ei bore cyntaf yn y bwthyn bach gan gân aderyn. Trwy ei ffenest gyferbyn â'i gwely gallai weld dryw bach yn dawnsio yn yr awel, yng ngoleuni ifanc y bore.

Cerddodd at y ffenest a'i hagor. Roedd fel petai cân swynol yr aderyn mewn harmoni perffaith â synau'r byd o'i chwmpas; sain ysgafn y tonnau'n newid rhwng y llifo gosgeiddig a'r crasio cadarn a phwrpasol; y rhedyn yn y twyni'n siglo yng ngwynt y bore; a hymian isel, cyson, synthetig y drôn.

Wrth graffu trwy'r ffenest dychmygodd Alaw pa fath o felodi y byddai siapiau'r twyni a llinellau'r mynyddoedd yn ei chreu petaech yn eu dilyn fel llinell; ac wrth edrych heibio'r holl dwyni a thonnau'r môr, tuag at y ffurfafen, gallai weld cysgod Pen Llŷn, Ynys Enlli a thir Iwerddon. Camodd drwy ddrws trwm y bwthyn gan dynnu hen siwmper dros ei gŵn nos, ac eisteddodd ar y tywod. Edrychodd i'r awyr eto gan ddychmygu Bendigeidfran yn cerdded dros y môr i achub Branwen. Tybed a safodd yntau yng Nghraigwerdd, a chael yr un teimlad ag yr oedd Alaw yn ei gael yn y fan hon? Dychmygodd hithau'r ffigwr anferthol, ganrifoedd maith yn ôl, yn sefyll yn anialwch y traeth, ac yn cael ei swyno gan hud unigryw'r lle. Edrychodd o'i chwmpas, ar anferthedd y gwacter a'i hamgylchynai, a'r hanesion diddiwedd y gallai'r llonyddwch hwn fod yn eu cuddio. Ac am y tro cyntaf ers iddi gyrraedd, dechreuodd ei gwaith celf ffurfio yn ei dychymyg.

Wrth edrych o'i chwmpas, sylweddolodd Alaw y gallai, o'r tu allan i'r bwthyn hwn ar ei ddibyn yng nghanol twyni Craigwerdd, edrych i unrhyw gyfeiriad y mynnai heb weld dim byd a fyddai'n ymyrryd â llinell ei golwg. Yma, roedd ffurfafen ym mhob cornel o'i llygad. Oedd hi wedi bod mewn ffasiwn le o'r blaen? Yn sicr, doedd hi ddim yn teimlo ei bod wedi gallu gweld cymaint o'r byd o'i chwmpas cyn hyn – teimlad a'i llethai. O Graigwerdd, roedd y byd yn berffaith grwn.

Oedd, roedd yna rywbeth arbennig am y pentref hwn.

*

Ymddangosodd gwrthrychau tebyg i'r drôn, bob tro heb ddim esboniad, mewn llefydd eraill wedyn. Cymunedau arfordirol gorllewin Cymru, tebyg i Graigwerdd, oedden nhw i gyd i ddechrau. Cyn hir, dechreuodd y dronau ddotio gwahanol gymunedau mwy mewndirol, yn ddi-baid, dros hen bentrefi Cymreig, nes iddyn nhw ymddangos dros bron pob cymuned ym mhob cwr o'r wlad. Bob tro, roedd yna hysteria cyflym – yn pendilio rhwng panig a chyffro – cyn i'r gwrthrychau gael eu derbyn fel rhan annatod o'r cymunedau. A bob tro, byddai eu hymian, oedd mor argoelus ar y bore cyntaf hwnnw, yn dod yn rhan mor naturiol o glytwaith y cymunedau ag y mae sisial ysgafn y tonnau yng Nghraigwerdd.

Corff Mewn Cae... a Llwybr

Dylan Iorwerth

R OEDD Y PETH yn debyg iawn i'r posau stiwpid yna y mae 'pobl glyfar' yn eu gosod:

Mae dyn yn gorwedd mewn cae o wenith a bag heb ei agor wrth ei ochr. Does dim ôl traed yn y gwenith. Ond mae'r dyn yn farw ac anafiadau mawr ar ei gorff. Be ddigwyddodd?

Roedd hyn bron yn union yr un peth. Ond bod y dyn yn gorwedd ar lwybr bach tywyll yng nghefn y teras. A doedd dim bag wrth ei ochr, dim ond pyllau bach o waed wedi llifo o'i glust a'i geg.

Nid chwarae posau yr oedd Del a finnau chwaith y noson honno, dim ond mynd i chwilio am le bach tawel... Y llwybr oedd y ffordd gyflyma i gyrraedd y Parc.

Wnaethon ni ddim cyrraedd y Parc wrth gwrs. Dim ond rhedeg. Ddylen ni fod wedi aros, gwneud ein dyletswydd, galw'r polîs, bla, bla, bla. Ond mae'n anodd gwneud hynny ar ôl cael llond twll o ofn.

Wnaethon ni ddim stopio nes cyrraedd yr orsaf bysys – rhywle saff efo digon o bobl. Wedyn jyst eistedd ar fainc a meddwl am weld y boi yn farw ar ei fol ar y llwybr.

"Esu!" meddai Del. "Esu!" ac roedd y gwallt mân ar ei thalcen wedi glynu'n dynn at ei chroen. "Pwy uffar oedd o?"

Gawson ni'r ateb ar Twitter y diwrnod wedyn. Yr heddlu i ddechrau'n dweud eu bod nhw wedi ffeindio corff. Wedyn llwyth o bobl yn dyfalu ac wedyn, ymhen rhyw ddiwrnod arall, enw'r boi ar wefan yr *Echo*…

Doedd yr enw'n golygu dim; roedd gweld y corff yn golygu popeth. Roedd Del a fi'n troi'n ôl at y peth trwy'r amser. Fel ci at ei chwydu ei hun, fel oedd Taid yn arfer dweud. Roedd hi fel tasa'r gwaed yn llifo i bob cornel yn ein bywydau ni, tros ein llyfrau ysgol, tros sgrin y ffôn, tros bopeth.

"Dwi ddim yn dallt. Dwi jyst isio anghofio'r peth."

Ond doedd Del, fwy na fi, ddim yn gallu gwneud hynny.

Doedd y plismon fawr o help. Yr unig theori oedd fod y boi wedi'i ladd mewn rhyfel cyffuriau, ond doedd dim angen Sherlock Holmes i ddweud hynny. Ardal drygis oedd hi. Twll din o gornel mewn twll din o dre. A Del a finnau'n cael ein tynnu'n ôl yno… yn ôl ac yn ôl. Roedd hi fel tasen ni'n chwilio am rywbeth; nid cliwiau, ond rhywbeth fyddai'n ein helpu ni i ddeall.

*

Dim ond waliau gerddi cefn y tai oedd yn wynebu'r llwybr, a drysau neu gatiau bach pren ym mhob un. Roedd llawer o'r rheiny wedi torri a'r chwyn a'r rybish ym mhob man yn dangos bod y rhan fwya o'r tai yn wag.

"Ydech chi'n chwilio am rywbeth, blant?"

Hanner sgrechian wnaeth Del. Doedden ni ddim wedi gweld yr hen wraig yn un o'r drysau. Ro'n innau'n flin. Plant? Pa blant? Roedden ni'n bymtheg oed. Roedd yr hen wraig yn eistedd ar ryw fath o *deckchair* ac roedd ganddi ryw fath o het ar ei phen – darn o wlân oedd wedi colli tebot. Ac o dan hwnnw, llygaid bach fel dwy seren.

"Chwilio? Na, na, jyst mynd am dro," meddai Del.

Bob tro, wedyn, pan fydden ni'n mynd yn ôl, roedd hi yno, yn eistedd yn ei chadair. Yn raddol bach, mi ddechreuon ni siarad mwy â hi. Ac yn raddol bach, mi gafodd hi'r stori i gyd.

"Busnesa ydech chi, felly?" Roedd hi'n swnio'n flin ond roedd yna wên fach yn y llinellau wrth gornel ei cheg. "Dwi wedi clywed dau dditectif yn siarad," meddai hi. "Wrth y wal fan hyn."

Edrychodd Del a finnau ar ein gilydd a'r cyffro'n dechrau fel rhyw gosi bach yng ngwaelod fy stumog.

"Maen nhw'n gwbod yn iawn pwy wnaeth. Ond dim syniad sut."

Ar ôl hynna, aethon ni ymlaen i'r Parc ac eistedd ar fainc yn edrych ar yr hwyaid yn ffraeo a checran a chachu. Roedd plant ym mhen pella'r llyn yn taflu bara ar wyneb y dŵr…

"Ti'n meddwl ei bod hi'n deud y gwir? Falle mai malu mae hi. Mae 'na oglau melys ar ei gwynt hi weithiau. Sieri, siŵr o fod."

Mi aethon ni'n ofalus drwy ei stori hi. Doedd yr heddlu wedi ffeindio dim, dim ond corff. Dim ôl traed, dim ôl bysedd, dim tamaid o DNA. Jyst dyn yn gorwedd ar ei fol a thwll taclus yn ei ben.

Ond roedd y dyfalu cynta'n gywir. Dyn cyffuriau oedd o. Arweinydd un o'r gangiau lleol sy'n pedlo'r stwff, yn ei gael o Fanceinion a Lerpwl a'i werthu o gwmpas dre. Pawb yn gwybod pwy sydd wrthi, a'r heddlu'n gallu gwneud dim.

Dim ond dwy gang fawr sydd yna yn y dre, a'r ddwy wedi bod yng ngyddfau'i gilydd ers misoedd. Pawb yn gwybod be oedd yn digwydd; pawb yn esgus peidio sylwi. Ond, yn sydyn, roedd y broblem yn amlwg – fel corff wedi disgyn o'r awyr i ganol cae. Wel, i ganol llwybr o leia.

Tony Maff oedd y llofrudd amlwg. 'Tony' achos mai Arnold oedd ei enw cynta fo – lle fel yna ydi dre. 'Maff'... am Maffia, wrth gwrs. Un bach milain oedd o; dyn drwg bach ond dyn drwg peryg. Ac, o weld yr achos yma, dyn drwg clyfar hefyd.

*

"Doedd 'na ddim car, yn ôl y polîs." Yr hen wraig eto. A'i llais yn dweud, "Blincin obfiys." Doedd y llwybr ddim yn ddigon llydan am ddreif-past. Ac nid Miami oedd dre.

"Nid saethu o bell oedd o, chwaith. Dim mwy na deg troedfedd medden nhw."

Roedd hi'n dweud rhywbeth ac wedyn yn sbecian trwy ei llygaid bach cul, i weld effaith ei geiriau arnon ni.

"Ond dwi wedi deud un peth wrth y polîs. Dydyn nhw ddim wedi cymryd sylw, cofiwch. Meddwl bod yr hen wraig ar y sieri siŵr o fod."

Edrychodd Del a finnau'n euog ar ein gilydd.

"Glywes i sŵn. Rhyw fath o injan. Fel y bechingalw 'na, y moto-beics bach."

Roedd hi'n anodd peidio ecseitio.

"Anodd deud lle oedd o. Mae'r hen waliau 'ma'n gwneud i sŵn daro i bob cyfeiriad. Ond mi glywes i o, yr un pryd â'r glec."

A hithau mor ansicr, doedd dim rhyfedd fod yr heddlu wedi gwrthod gwrando. Doedd neb wedi gweld moped yn yr ardal a doedd yna ddim olion teiars. Dim ond corff.

"Pam ydan ni'n poeni cymaint am y peth?" meddai Del, a ninnau'n ôl yn y Parc unwaith eto.

Roedd yna alarch yno y tro yma, yn symud yn hawdd ar y dŵr, a'i thraed hi'n mynd ffwl sbîd o dan yr wyneb.

"Dyn drwg, da-i-ddim, ac mae 'na filoedd o bobl a phlant diniwed yn cael eu lladd bob dydd – bomiau casgen yn Syria, drôns ym Mhacistan, bom mewn bag yn y Manchester Arena."

Fuodd yr hen wraig yn sôn am sŵn yr injan eto, yn gwbl bendant ei bod hi wedi ei chlywed, cyn y glec. Y sŵn yn dod yn nes ac yn gryfach ac wedyn yn gwanhau. Y tro hwnnw, fuodd hi'n adrodd geiriau randym o'r Beibl. Wel, roedd o'n swnio fel y Beibl, beth bynnag. Rhywbeth am "glyn cysgod angau" ac wedyn "y nefoedd"...

"Ti'n meddwl ei bod hi'n mynd yn gaga?"

"*Mynd* yn gaga? Mae hi wedi cyrraedd."

Roedd gwefan yr *Echo*'n cyhoeddi 'stori' newydd bob hyn a hyn. Yr heddlu'n dal i chwilio. Yr heddlu'n dilyn trywydd newydd. Yr heddlu heb blydi cliw.

Ac wedyn blog, yn galw am "blue-sky thinking".

"Yes!" meddai Del yn uchel. Ac ro'n i'n ei gweld hi'n mynd yn ôl tros yr holl ddigwyddiadau, yn rhoi'r cyfan at ei gilydd.

"Y ffordd newydd o lofruddio," meddai hi yn y diwedd. "Mae llywodraethau'n ei wneud o ers blynyddoedd."

Roedd yr ateb ganddi... dim cliwiau... dim ôl traed... saethu agos... sŵn injan fach... Pacistan. Roedd Tony Maff wedi defnyddio drôn. Gwn ar ddrôn, a Wi-Fi i weithio'r cyfan. Dyn drwg bach, dyn drwg peryg, dyn drwg clyfar.

Wnaethon ni ddim mynd at yr heddlu. Ond mi wnaethon ni ddweud wrth yr hen wraig gan wybod y byddai hi, rywsut, yn gwneud yn siŵr bod y neges yn cyrraedd.

O fewn ychydig ddyddiau, roedd yna stori go iawn gan *Echo. com*: stori am arestio Tony Maff.

"Sut ti'n teimlo? Balch, hapus, bodlon?"

"Ia, a rhywfaint o siom."

Fel efo'r posau yna – mae'r pleser yn y chwilio, nid yn yr ateb. A'r ateb i'r boi yn y cae? Y boi yn y cae efo'r bag? Parasiwt. Parasiwt yn methu agor.

Ar ôl diwrnod neu ddau, aethon ni'n ôl at y llwybr. Roedden ni'n dau'n edrych ymlaen at weld ymateb yr hen wraig.

Doedd hi ddim yno. Roedd y gadair yn ei lle fel arfer ond doedd dim sôn amdani hi. Ac, wrth gwrs, doedd gan y cymdogion – hynny oedd yna – ddim syniad be oedd ei hanes.

Na diddordeb chwaith.

Y Gwahoddiad

Gareth Evans Jones

ROEDD O WEDI'I lethu. Wrth sefyll yn y drws ffrynt a'r cerdyn petryal yn dynn yn ei law, teimlai Ieuan fel pe bai wedi'i ddal yng nghanol môr a oedd ar droi. Y môr hwnnw oedd yn newid yn gyson.

Disgleiriai'r ysgrifen aur, flodeuog, yng ngoleuni'r lamp stryd oedd newydd ddeffro. A'r ysgrifen honno fel petai'n wincio'n wawdlyd arno:

Parti Pen-blwydd Nans a Nel
Y 7fed o Dachwedd am 11 y.b. yn y Ganolfan
R.S.V.P. erbyn y 3ydd o Dachwedd

Caeodd Ieuan y drws a phwyso yn ei erbyn gan ollwng ochenaid drom. Problem arall, meddyliodd. Cododd ei lygaid, ac wrth wneud hynny, daliodd clwstwr o dyllau pryfed yn y distiau uwchben ei sylw.

"Pwy oedd yna rŵan?" gofynnodd Llio, gan darfu ar ei feddwl.

"Pobol gwerthu ffenestri," baglodd y geiriau o'i geg wrth iddo stwffio'r gwahoddiad i boced ôl ei jîns.

"Adag yma o'r nos?"

"Be 'nei di, 'te?"

"Oeddach chdi efo nhw am yn hir."

"Fel 'na maen nhw. Rho di ddau funud, ac mi gymeran nhw ddwy awr!"

Amneidiodd hithau'n araf. "Ma'r bwyd yn barod."

Doedd Ieuan ddim yn hoff o guddio pethau oddi wrth ei wraig, ond pan edrychai ar ei hwyneb ac ar ei chorff esgyrnog, fe wyddai mai dyna fyddai orau.

Risoto. Pryd digon blasus. Pryd oedd o fewn gallu Llio i'w goginio. Dyna un peth a roddai bleser mawr iddi: paratoi'r bwyd, er bod disgwyl iddi wneud hynny dan ofal Ieuan erbyn hyn.

Cydganai tician gwag y cloc â chyfeiliant digywair y cyllyll-a-ffyrc-ar-blatiau. Rhyw bigo'r bwyd roedd Ieuan tra oedd Llio'n rhawio cynnwys y plât, ac yn ei godi'n araf gydag un llaw grynedig o dan ei gên. Ac wrth i'r llwy godi, byddai ychydig o'r reis yn goferu dros ei hymyl, gan lanio ar y bwrdd ac ar ei glin. Welodd Ieuan erioed neb yn canolbwyntio cymaint i fwydo'i hun; ei llygaid wedi eu hoelio ar y llwy, a'i gwefusau wedi eu brathu'n dynn. Roedd rhywbeth plentynnaidd yn yr olwg, meddyliodd Ieuan.

Rhawio, codi'r llwy, gollwng y reis, ac ail-lenwi. Drosodd a throsodd mewn distawrwydd, nes i'r reis a'r llwy syrthio'n un swp ar y llawr, wrth i'w braich golli teimlad, a chwympo fel braich doli glwt.

"Ddim eto..." meddai, a rhwystredigaeth yn lliwio'i llais.

"Mae'n iawn. 'Na i glirio fo, yli," cysurodd yntau, wrth osod ei law ar ei hysgwydd wan, a chodi'r llwy. "Hitia befo..."

Roedd hyn, bellach, yn ddigwyddiad cyfarwydd. Rhy gyfarwydd, ac yn rhy fuan o lawer. Roedd bron i bedair blynedd ers iddyn nhw gael gwybod: ers i Llio ddysgu y byddai'n rhaid iddi ymdopi â'r aflwydd, ac ers i Ieuan orfod derbyn y byddai'n gorfod gwylio dirywiad graddol ei wraig.

Dr Khan o'r ysbyty yn Lerpwl roddodd wybod iddyn nhw. Wedi misoedd o fynd yn ôl ac ymlaen at ddoctoriaid, disgwyl mewn sawl ystafell aros, a chlywed canlyniadau degau ar ddegau o brofion, hwnnw yn Lerpwl a ganfu'r union beth oedd o'i le ar Llio. Feddyliodd yr un o'r ddau cyn hynny y gallai dwy lythyren fach ddibwys, ddiddrwg, ddidda, beri cymaint o boen.

*

Daeth sŵn ambell gar yn gyrru heibio a chlegar gwylanod i lenwi'r llofft. Roedd y cloc yn dangos 05:50. Wedi gwylio bob awr o'r nos yn llusgo heibio, teimlodd Llio y gallai, o'r diwedd, ddianc o'r hunllef effro. Hen beth annifyr oedd bod ar ddi-hun ganol nos â dim ond y meddwl yn gwmni.

Roedd Ieuan yn weddol siriol y bore hwnnw. Gwnaeth baned i'r ddau, taenodd farmalêd yn denau ar hyd ei darn hi o dost, a jam yn drwchus ar ei ddarn yntau. Siaradodd am bob dim dan haul heblaw am yr hyn ddigwyddodd y noson gynt. Ac ymhen dim, wedi casglu ei bethau a rhoi cusan fach ar ei boch, i ffwrdd ag o i'w waith gan adael y wên gysurlon ar ei ôl.

Er gwaetha'i garedigrwydd a'i ofal amdani, ni allai Llio lai na chenfigennu wrth Ieuan. Wedi'r cwbl, roedd o'n ddigon lwcus i gael dianc o'r tŷ am ran helaeth o'r dydd. Câi wneud rhywbeth ar wahân i eistedd fel torth yn llwydo. Gwelai wynebau amrywiol. Ac fe gâi sgwrs; gwrando ar hanesion a rhannu ambell stori, am nad oedd o wedi'i lynu wrth 'ddiogelwch' y tŷ.

Roedd hi'n gweld eisiau cartref Bryn Mêl yn fwy bob dydd. Arferai dreulio oriau yng nghwmni sawl un, gan wrando arnyn nhw'n mynd trwy'u pethau yn adrodd rhyw stori roedd hi wedi'i chlywed ganwaith, ond a oedd wastad yn cynnwys rhyw fanylyn newydd. Roedd ganddi rôl i'w chwarae yno. Hi a Leah fyddai'n mynd â nhw i'r Ganolfan yn y pentref ar gyfer y bore coffi bob wythnos. Hi oedd yr un fyddai'n tywys rhai o gwmpas yr ardd i weld blagur cynta'r gwanwyn. Ond pwy fyddai'n gadael i rywun a oedd bellach yn llai 'tebol nag ambell un o'r hen bobl eu hunain ofalu am breswylwyr Bryn Mêl?

Y pnawn hwnnw, wedi iddi fwyta'r frechdan a baratôdd Ieuan cyn iddo fynd i'w waith, aeth Llio i eistedd yn y stafell haul ac ymgolli yn anialwch yr ardd. Roedd trydar yr adar yn donig iddi, ac er bod y coed wedi diosg eu cotiau a'r ardd bellach wedi'i gorchuddio gan gawod efydd, grin, roedd cyfaredd yn y gwahanol liwiau, a'r rheiny'n fodd i'w dychymyg grwydro. Wrth suddo i'r gadair esmwyth, dechreuodd chwarae efo modrwy bys canol ei llaw dde a daeth atgof yn glir i'w meddwl.

Fe'i gwelai ei hun yn ferch fochog, saith oed eto, yn sleifio i lofft ei nain ac yn dringo i ben stôl wrth y gist o ddroriau. Yno roedd y bocs du â'r corneli aur. Fe'i hagorodd yn llawn direidi a chodi un fodrwy arbennig, gan deimlo mwynder y leinin sidan yn erbyn ei llaw. Cofiai edrych ar y fodrwy â'r garreg dryloyw, a golwg y bioden arni, a thrwy 'hap a damwain' digwyddodd i'w bys lithro drwy'r cylch arian.

Gwelai'i hun unwaith eto yn sefyll yn benisel yng nghanol y pantri a'i thad yn iro'i bysedd efo hanner bloc o fenyn. Wedi cryn drafferth; wedi tylino'r bys, ac wedi i air anghyfarwydd i'r ferch fach lithro o geg ei thad, daeth y fodrwy'n rhydd ac fe gafodd y fath gerydd fel nad aeth hi ar gyfyl llofft ei nain fyth wedyn. A dyma hi bellach yn berchen ar y fodrwy, a honno'n hongian yn llipa o amgylch ei bys.

Agorodd ei llygaid.

Roedd hi wedi dechrau syrffedu ar grwydro llwybrau ei chof, felly penderfynodd roi cynnig ar y golch. Roedd y fasged wrth y peiriant a honno'n orlawn.

Doedd golchi dillad, heb sôn am smwddio, fyth yn dasgau y byddai Llio'n arfer mwynhau eu gwneud, ond bob tro y llwyddai i gyflawni un o'r gorchwylion hynny'r dyddiau hyn, gallai ddathlu ei buddugoliaeth fach ei hun.

Llusgodd un o gadeiriau'r bwrdd at y peiriant, eisteddodd a dechrau tyrchu gydag un llaw. Codai bob dilledyn a'u gorffwys ar ei harffed er mwyn chwilio'r pocedi'n drylwyr. Ac wrth godi a chwilio pâr o jîns, teimlodd gerdyn yn un o'r pocedi-pen-ôl.

*

Wrth nesáu at waelod y stad, gwelodd ddwy wraig yn darfod eu sgwrs ac yn troi i edrych arno. Bu hynny'n ddigon iddo blannu'i droed ar y sbardun a gyrru oddi yno. Roedd o wedi cael hen ddigon ar bobl yn dod ato i gydymdeimlo, neu'n baglu dros eu geiriau am na wydden nhw beth i'w ddweud, rhag ofn iddyn nhw ddweud rhywbeth a fyddai'n debygol o bechu. Ar y stryd, mewn siopau, yn y gwaith; bob man yr âi, byddai'n rhaid iddo roi un o'r atebion treuliedig:

"Mae hi'n o lew, diolch am ofyn."

"Mae hi'n gorfod gweld y consyltant unwaith y mis."

"Mae hi'n ymdopi'n dda iawn."

Pawb yn holi am Llio, wrth reswm, ond neb yn cydnabod yr hyn roedd yn rhaid iddo fo'i wneud. Gwingodd fymryn yn ei sedd wrth feddwl y fath beth. Oedd o'n hunanol?

Erbyn iddo ddod at ei goed, fe'i cafodd ei hun wedi diffodd yr injan ac yn eistedd ar graig ar lan y môr. I'r fan honno y byddai o a Llio'n arfer dod pan ddechreuodd y ddau ganlyn, i dreulio oriau maith yn eistedd ar y traeth, yn clustfeinio ar sisial y tonnau. Cofiai fel y mwynhâi Llio wylio'r gwylanod yn gwneud campau, yn herio'i gilydd i weld pwy fyddai'n mentro bellaf i'r môr cyn cilio'n ôl ar y funud olaf.

Wedi gwrando ar sŵn llepian y llanw, a gwylio cerddwr yn taflu pêl i'w gi, cododd Ieuan ar ei draed a chychwyn am y môr. Roedd y dŵr yn y cildraeth hwn yn burach na'r dŵr a amgylchynai weddill yr ynys rywsut. Dyna pam y mynnai Llio mai'r fan hon oedd y lle gorau i Sara ymarfer nofio ers talwm.

Cofiodd fel y bu'n rhaid iddo unwaith sefyll yn y dŵr nes ei fod wedi rhynnu, yn disgwyl i'r fechan, a safai'n betrusgar y tu ôl i'w mam, ddod ato.

"Dwi'm isio!"

Un styfnig oedd hi, meddyliodd. A hyd y dydd hwnnw, wyddai Ieuan ddim sut yn y byd y llwyddodd Llio i'w pherswadio. Yr unig amod y gwyddai amdano oedd y byddai'n rhaid iddi gario'r fechan heibio'r gwymon ar y traeth. Doedd hi 'ddim yn licio'r petha sleimi'.

Prin y meddyliodd yr un ohonynt bryd hynny y byddai'r presennol hwn o'u blaenau. Y presennol pan fyddai dringo'r grisiau fel dringo'r Wyddfa, a hyd yn oed glymu careiau esgidiau yn orchwyl rhy fawr i'w chyflawni.

Pan fyddai'n rhaid iddo wisgo esgidiau am draed ei wraig, dyna pryd yr anesmwythai Ieuan yn arw, gan y byddai'n ei atgoffa o'r dyddiau hynny pan oedd Sara'n hogan fach, yn dibynnu ar ei thad i glymu ei chareiau. Doedd y fraich lipa, na hyd yn oed y llygad a fyddai'n gwyro tua'r llawr, ddim yn ei anniddigio gymaint, ond roedd clymu esgidiau ei wraig yn waeth na dim.

Mae'n rhaid fod Llio wedi sylwi ar hynny, oherwydd bythefnos ynghynt, yng nghanol y distawrwydd a nodweddai'r adegau hynny, fe ddywedodd:

"Cei. Mi gei di 'mhriodi fi!"

Crychu ei dalcen a dal i rythu ar y llawr a wnaeth Ieuan.

"Mae'r slipar yn ffitio," mentrodd Llio eto.

Ac wedi i'r geiniog ddisgyn, rhoddodd Ieuan wên wan. Gwên i gydnabod yr ymdrech. Gwên a oedd yn waeth nag unrhyw ddistawrwydd. Roedd popeth yn ei fywyd bellach fel tywod rhwng ei ddwylo. Ond wrth i'r awel hallt dynnu mwy o ddŵr o'i lygaid, penderfynodd droi'n ôl am y car a chychwyn am adref.

*

Caeodd y drws yn sydyn ar ei ôl. Yr unig olau yn y lolfa oedd y tân yn mudlosgi yn y grât. Wrth ei ymyl, a'i phen ar ogwydd a llyfr yn gorwedd wrth ei thraed, roedd Llio'n hepian cysgu a'i hanadl yn ysgafn. Roedd y ffordd y mwythai golau gwan y tân ei hwyneb yn amlygu ei breuder.

Aeth at y ffenest a thynnu'r llenni. Wrth droi'n ôl i'r stafell, gwelodd fod Llio wedi codi ar ei heistedd ac yn edrych arno, ar y llygaid gleision, gan chwilio am gysur. Y llygaid ag ôl lludded. Ddywedodd hi'r un gair, dim ond amneidio ar y soffa gyferbyn, ac fel plentyn yn ufuddhau i siars ei riant, fe eisteddodd.

Syllodd Llio i'r tân a gwylio'r fflamau glas yn gwingo'n dawel. Gwrandawodd ar y dafnau'n curo'r ffenest wrth iddi fwytho'i bysedd yn ei chardigan. Byddai'r pinnau mân yn dueddol o bigo pan fyddai wedi blino ac wedi oeri drwyddi.

Cododd y llyfr oddi ar y llawr a thynnodd ddarn o gerdyn a oedd yn rhychau i gyd o ganol y dalennau, a'i osod ar y bwrdd o'i blaen.

Daliodd yr ysgrifen aur ei lygaid.

"Pam?" gofynnodd Llio. "Ieuan?"

Edrychodd arni. "Do'n i'm isio i chdi flino heb fod angen."

"Cael eu pen-blwydd yn wyth deg maen nhw. Nid dau ddeg un."

Gostyngodd Ieuan ei ben eto.

"Dwi 'di siarad efo Leah, a dwi 'di deud ein bod ni'n mynd."

"Ond, rwyt ti fod i... i osgoi unrhyw..."

"Mae'n rhaid i mi fynd. Dwi'n mygu yn y tŷ 'ma fel mae hi... Iawn?"

Ysgydwodd yntau ei ben yn araf. Ella na fyddai hynny'n ddrwg o beth, wedi'r cwbl. Ella ei fod o wedi ymddwyn yn rhy fyrbwyll. Ella fod yna fai arno am fod yn oramddiffynnol. Ella…

Wedi ennyd o dawelwch, aeth Ieuan i newid. Arhosodd Llio yn y gadair, cribodd gudyn tywyll y tu ôl i'w chlust, a throdd i wylio'r tân yn marw'n araf.

*

Roedd ffenestri'r car wedi eu gorchuddio gan haenen drwchus o farrug y bore Iau hwnnw. Sawl gwaith roedd Ieuan wedi bwriadu torri'r goeden honno a fyddai wastad yn rhwystro golau'r haul rhag dadmer y car?

Camodd Llio dros y rhiniog gan wylio'i hanadl yn dawnsio o'i blaen. Gafaelodd yn dynn yn y fagl fetel wrth i'w thraed fygwth rhoi o dan ei phwysau. Doedd dim am ei rhwystro heddiw.

Gwelodd fod ambell un yn y tai ar draws y lôn yn ei gwylio, felly cododd ei llaw'n bwyllog arnyn nhw. Dim ond Mr Richards, rhif 24, a chwifiodd yn ôl. Ond roedd ei gyfarchiad o'n ddigon chwithig.

Wedi gosod yr anrhegion ar y sedd gefn, agorodd Ieuan y drws iddi. Roedd o ar fin ei helpu i wisgo'i gwregys hefyd, pan drodd hi ato a dweud yn bigog, "Dwi'n iawn. Diolch."

Roedd hi am wneud y mwyaf drosti ei hun heddiw. Roedd hi am leddfu'r baich a oedd fel maen melin o amgylch gwddw ei gŵr. Oherwydd pwy a ŵyr sut y byddai fory?

Taniodd Ieuan yr injan a throdd y ddau am y Ganolfan.

'Dwedwch Fawrion o Wybodaeth'

Llio Maddocks

R O'N I'N ISTA yn y festri yn darllan dros y darn roedd Mr
Roberts wedi ei ddewis i mi. Ddim hwn faswn i wedi ei
ddewis yn bersonol, ond dyna fo, roedd o'n gweddu i'r achlysur
am wn i. Roedd Mam wedi deud y dyliwn i drio dysgu'r darn ar
fy ngho rhag ofn i mi faglu dros fy ngeiria, ond do'n i heb cweit
ddysgu'r bennill ola.

"Ti 'di dysgu dy eiria?" medda hi amsar brecwast, fatha hen
record a'i nodwydd wedi sticio. Do'n i ddim yn llwglyd iawn; a
deud y gwir ro'n i'n teimlo'n eitha nyrfys. Ond tra o'n i'n syllu
drwy'r ffenest ar y gwynt oedd yn hyrddio'n erbyn coed yr ardd,
mi nath Mam banad wan a dau ddarn o dôst plaen i mi, i drio
setlo'n stumog.

"Do, dwi'n meddwl," medda finna ar ôl i'r te fy neffro.

Roedd fy ngheg i'n brysur yn trio cael gwarad o'r crystyn tôst
oedd wedi troi'n lwmp ar fy nhafod. Mi lowciais gegaid o'r banad,
ond roedd y bara'n dal i wrthod mynd lawr fy nghorn gwddw.

"Ty'd rŵan, mi fasa'n well i ti eu dysgu nhw'n iawn. Ti'n gwbod

bod Mr Williams Prifathro yn darllan hefyd, yn dwyt? Mae o'n ynganu'n ofnadwy o dda. Ac mae Dafydd Morris yn darllan rwbath, ac mae o wedi hen arfar pregethu."

"Dwi'n gwbod, Mam," atebais i. "Fydda i'n barod nes mlaen."

"Wel, mond tair awr sgen ti rŵan cofia. Mae'n cychwyn am un ar ddeg."

"Gad lonydd i'r hogan," medda Dad. "Dwi'n siŵr ei bod hi ddigon nyrfys fel ma hi."

Roedd Dad wedi bod yn ista wrth y bwrdd yn dawel bach. Un tawel fuodd o erioed. Roedd o'n nyrsio'i fowlan o uwd efo golwg reit drist ar ei wyneb. Brechdan bacwn roedd o'n arfar ei chael bob bora tan i nyrs pentra ddeud bod ei golestrol o'n uchal, a bod angan iddo dorri lawr ar y ffat a dechra bwyta *five a day*. Syniad Dad o ffrwyth oedd milc-shêc blas banana.

*

Ro'n i wedi cerdded i'r festri ar ben fy hun, ac wrth i'm gwallt gael ei chwythu i bob man mi sylwais 'mod i wedi anwybyddu y peth dwytha ddwedodd Mam wrtha i, sef i gofio mynd â brwsh gwallt efo fi. Mi fydd hi'n fy niawlio i pan welith hi fi yn y capal, meddyliais, heb wneud unrhyw ymdrech i gadw 'ngwallt yn saff rhag y corwynt. Dilyn y ffordd fawr roeddwn i nes i mi basio'r giât fach wrth ochr y ffordd. Y ffordd yna fyddwn i'n mynd i'r capal bob tro pan oeddwn i'n iau; roedd llwybr tarw drwy'r coed oedd yn arwain at gefn y capal, ac ar y llwybr hwn ro'n i a'n ffrind gora'n arfer chwara, y coed yma roeddan ni'n arfar eu dringo. Roedd y llwybr wedi diflannu o dan y drain a'r danadl poethion erbyn heddiw ac roedd y tir yn lleidiog, ond penderfynais ei ddilyn heb unrhyw ystyriaeth i'r esgidiau duon fuodd Mam yn eu sgleinio bore 'ma.

Ar ôl cyrraedd, es yn syth i ista at y twymydd yn y festri wag, ac ro'n i wrthi'n ailddarllan y bennill ola yn trio'i serio ar fy ngho. Mond hannar canolbwyntio o'n i, un llygad ar y darn papur o 'mlaen, ac un llygad yn sbio allan drwy'r ffenast. Roedd Mam wedi gludo 'narn darllan i ar gardyn pen-blwydd efo llun o fwnsh carnesiyns pinc gola arno, ond ro'n i 'di dechra pigo ochra'r papur ac roedd o wedi mynd i edrych yn reit flêr. Wrth i mi drio fy ngora i smwddio'r papur, clywais y drws yn agor y tu ôl i mi ac mi drois rownd a gweld hogan benfelen yn cerdded i mewn i'r festri.

"Haia, Leus."

Drychais i arni heb ddeud gair, a throi'n ôl am y ffenast. Mi glywis i hi'n chwerthin yn ysgafn, ac yna'n ista lawr.

"Leus? Ti'm am siarad efo fi?"

Ro'n i'n sbio mor galad ag ro'n i'n gallu ar fy narn darllan, yn trio anghofio ei bod hi'n ista yna ond ro'n i'n teimlo'n hun yn cochi. Ro'n i o hyd yn cochi pan o'n i'n mynd yn flin.

"Ti'm hyd yn oed am edrach arna fi, Leus?"

"Dwi'm isio."

"Plis. Jyst tro rownd i sbio arna i."

Troais yn ara bach tuag at ei llais hi. Roedd hi'n ista ar un o gadeiria'r ysgol Sul, cadair fach blastig frown oedd wedi cael ei gwneud ar gyfar plant pedair oed. Byr a thena oedd hitha, ond roedd hi'n edrach fatha cawres yn ei chadair fach tylwyth teg.

Roedd ei gên yn pwyso ar gwpan ei dwylo, a'i dwy benelin yn gorffwys ar ei phenglinia.

"Haia, Leus," medda hi eto.

"Ti'n edrach yn ridicilys."

"Ma'n fwy cyfforddus na fasat ti'n feddwl," chwarddodd hi. Roedd ei chwerthiniad wastad wedi bod â rhyw dinc arbennig ynddo fo ac ro'n i wrth fy modd yn ei chlywad hi'n chwerthin fel arfar, ond heddiw ro'n i'n trio fy ngora i gadw wyneb syth ac roedd yn gas gen i'r tinc yn ei llais.

"'Di o'm yn gweddu i chdi, sti," medda hi. "Bod yn flin."

"Gad lonydd i fi, Manon. Ga i fod yn flin os dwi isio."

"Ti rioed 'di bod yn flin efo fi o'r blaen."

Roedd hi'n gwenu fel angel fach yn ei chadair, ei llygaid yn disgleirio'n ddrygionus.

"Do, tad," atebais i. "Dwi jyst rioed di deud 'that ti o'r blaen."

Mi sbiais arni wrth i'w hwyneb grychu dan chwerthin. Ro'n i'n gallu gweld y brychni haul gola oedd yn dotio'i thrwyn, a'r marc geni bach sgwâr ar ei boch fel stamp pinc ar amlen wen. Ro'n i'n adnabod yr wyneb bron cystal â f'un i fy hun, ac roedd hi mor anodd aros yn flin.

"Pryd? Pryd fuest ti rioed yn flin efo fi?"

"O'n i'n flin efo chdi ar y trip ysgol Sul, pan oeddan ni tua wyth oed. Aethon ni ar y bỳs i Sŵ Gaer, a 'nest ti ista efo Cari a gadal i fi ista ar ben fy hun. Ac ro'n i'n flin pan aethon ni i Rysgol Fowr, a 'nest ti neud ffrindia efo genod dre a ddudist ti ddim gair wrtha fi am ddau fis. A dwi'n flin efo chdi rŵan."

"Leus, druan, ddim yn licio cael dy adael allan, nag wyt?"

"Chdi a fi oedd hi i fod. O'n i yna i chdi. Pam ma raid i chdi 'ngadael i o hyd?"

"O, 'mabi fi," medda hi, gan estyn ei dwylo ataf i. "Paid â thyfu crafanga, gath fach. Ty'd yma."

Doedd gen i ddim gobaith. Ymlwybrais draw ati, plethu fy mysedd rhwng ei rhai hi ac ista ar y llawr o'i blaen, fy nghefn yn pwyso yn erbyn ei choesa hi. Dechreuais bigo'r twll yn fy nheits a thynnu'r eda ddu yn ara deg i weld a fyddai'r twll yn mynd yn fwy.

"Gest ti dy ddal yn y drain ar dy ffordd?"

"Do. Fydd Mam ddim yn hapus." Sticiais fy mys i mewn i'r twll, a thynnu'r defnydd yn ôl a mlaen. "Sut oeddach chdi'n gwbod 'mod i di mynd ffor'na?"

"Welis i chdi. Dy ddilyn di," medda Manon, fel tasa hynny'r peth mwya cyffredin erioed.

"Ti'm i fod i ddilyn pobol, y crîp," medda fi. "Welis i mohonat ti."

"Dwi'n gwbod lle i guddio, dydw."

Dechreuodd chwara efo 'ngwallt â'i llaw rydd, yn cribo drwyddo efo'i bysedd piano hir.

"Ti'n gwbod bod gas genna i bobol yn chwara efo 'ngwallt i," medda fi.

"Yndw, siŵr," medda hi gan ollwng fy llaw. "Ti isio *French plait*?"

Rowliais fy llygaid heb ddweud dim, wrth iddi ddechra defnyddio ei dwylo i rannu fy ngwallt yn dri llinyn, ei bysedd ystwyth yn plethu a throelli fel gweill.

"Deud y stori am pam ti'm yn licio pobol yn chwara efo dy wallt di."

Mi chwarddais, a rhowlio'n llygaid eto.

Doedd gen i na Manon fyth straeon newydd i ddeud wrth ein gilydd. Roeddan ni wedi bod yn ffrindia gora ers i ni gael ein geni, am bod ein mamau ni'n ffrindia gora ac yn byw lawr stryd oddi wrth ei gilydd. Ffrindia o'r groth, roeddan ni'n galw ein hunain. Mwy na ffrindia gora. Ac roeddan ni'n dwy'n gwbod bob dim am ein gilydd.

"Ti'n cofio Dona oedd yn 'Rysgol Fach efo ni? Dwy flynadd yn hŷn na ni? Wel, roedd hi'n ista tu ôl i fi bob bora yn gwasanaeth. 'O Leusa, ti mor ciwt,' fydda hi'n deud, a dechra chwara efo 'ngwallt i. Roedd ganddi ddwylo mor chwyslyd, ac oedd 'y ngwallt i'n cael ei ddal ynddyn nhw. Fydda hi'n tynnu 'ngwallt i fatha rhyw ddiafol bach, ac o'n inna ofn deud dim byd rhag ofn i fi gael tats ganddi hi. Ti'n ei chofio hi'n dwyt? Hogan dal, chwyslyd, ufflwn o geg."

"Dwi'n ei chofio hi. Oedd hi'n cael gwersi corn 'run pryd â fi."

"Bechod dros y corn."

"Ond ti'm yn meindio fi'n plethu dy wallt di rŵan, nag wyt?"

"Nadw, am wn i. Ti'm yn berson chwyslyd iawn. Ond mae'n dal i fynd drwydda fi, sti."

Mi ddechreuodd Manon chwerthin, a fuodd raid iddi hi roi'r gora i blethu 'ngwallt i.

"Ti'n cofio...?" cychwynnodd, drwy'r gigls. "Ti'n cofio pan ddudist ti hynna wrth Grandma? O mai gosh, Leus, dwi rioed 'di gweld ffasiwn wynab arni hi."

"O na," medda fi. "Paid, Mans, ti'n gwbod fod gas gen i'r stori 'ma."

Roedd teulu tad Manon yn dod o Lundain, felly un Nain ac un Grandma oedd ganddi hi. Roedd y ddwy yn annwyl iawn, ond roedd Grandma chydig bach yn fwy sidêt na Nain pentra. Mi ddoth hi draw un penwythnos, a choginio *fish pie* i bawb. Dwi'm yn ffan mawr o bysgod, ond ro'n i'n digwydd bod draw yn nhŷ Mans y noson honno, a do'n i ddim am fod yn ddigywilydd a gofyn am rwbath heblaw am *fish pie*.

"A ti'n cofio," medda Manon, "'nes i roi 'nhroed ynddi a deud bo chdi'm yn licio pysgod jyst wrth i chdi gael platiad o dy flaen, a nath Grandma sbio arna chdi'n hurt. A 'nest ti ddechra gneud esgusodion yn dy acen Susnag ora. 'Oh, don't worry,' medda chdi, 'it's only when they have the heads still on that I don't like them.' A wedyn ddudist ti'r stori am dy fam yn cwcio'r samon noson cynt!"

"Paid Mans, gen i gwilydd," medda fi, ond yn chwerthin go iawn.

"She cooked a whole salmon last night, with the head still on and the eyes and everything. I ate it, but it went right through me. Put me off for life."

Roedd Manon yn gweryru chwerthin erbyn rŵan, a minna wedi claddu 'mhen yn fy nwylo.

"A Grandma druan yn meddwl bo' chdi 'di cael deiarîa! 'It went right through me,' wir! Mi gadwodd hi oddi wrthat ti am weddill y penwythnos rhag ofn iddi ddal rwbath! Doedd hi rioed 'di clwad ffasiwn sgwrs wrth y bwrdd bwyd!"

"Do'n i'm yn gwbod bod o ddim yn cyfieithu."

"Pownd o *Thurs* yn lle pownd o *liver*, de. Ti'n cofio, o TGAU Drama? Pwy sgwennodd hwnna, d'wad?"

"Meic Povey," medda fi. "*Diwedd y Byd*."

"Ia, oeddach chdi wastad yn talu mwy o sylw na fi. Yn hwnna oedd Mags druan yn deud wrth ei ffrind bod hi 'di cael sgŵl iwnifform newydd o wordrob?"

"O wordrob fy chwaer," medda'r ddwy ohonan ni efo'n gilydd.

"Ia wel, mi fasa ti'n cofio'r darn yna, yn basat," medda Manon, yn trio'i gora i godi gwrychyn. "Ti'n cael y rhan fwya o dy ddillad o wordrob dy chwaer druan."

"Dwi'n gwbod, dydi hi ddim yn hapus iawn am y peth chwaith. Hei, ges i *spring clean* diwrnod o'r blaen, a ti'n gwbod be 'nes i ffeindio yn wordrob llofft fi?"

"Be?"

"Bag dwi heb ddefnyddio ers i mi fod yn chwechad. A tu mewn i'r bag mi oedd 'na hen lyfr nodiada llawn sgribls rhywun yn ei harddega. 'Nes i ddechra 'i ddarllan o, ac ar un o'r tudalenna oedd y rhestr o betha roeddan ni am eu gneud cyn marw."

"Go iawn? Dwi'n cofio sgwennu hwnna efo chdi ar y trên i Gaer! Be oedd arno fo?"

"Wel, y teitl oedd 'Rhestr Manon a Leusa o bethau i wneud cyn marw'. Ond nathon ni groesi 'marw' allan, a'i newid o yn '2026'."

"Am *morbid*. Oeddan ni'n meddwl ein bod ni am farw yn 2026 d'wad?"

"Dwn i'm," medda fi wrth sbio arni. "Ond roedd o'n teimlo'n bell i ffwrdd radag yna'n doedd? Fydd hi'n 2026 cyn i ni droi rownd rŵan."

"Pa fath o betha oeddan ni isio'u gneud? Dwi'n cofio rwbath am Jersey..."

"Ia, roeddan ni isio mynd i Jersey am de a sgons, a gêm o *croquet*. Ac roeddan ni am gerddad dros y Sydney Harbour Bridge."

"Dy syniad di oedd hwnna," medda Manon efo cryndod. "Sa genna i ormod o ofn."

"Oeddat ti isio prynu VW *campervan* a'i pheintio'n oren. Ac roeddat ti isio mynd i India i gael reid ar gefn eliffant.'"

'O'n 'fyd. 'Nes i anghofio am hynny.'

"A reit ar ddiwadd y dudalen 'nest ti sgriblo fod ti am wneud dy radd 8 piano," chwarddais. "Oeddach chdi'n dysgu dy ddarnau gradd 7 'radag yna dwi'n meddwl."

"O, paid. Doedd Mam ddim yn hapus pan 'nes i roi'r gorau iddi ar ôl yr arholiad ola 'na. Dwi allan o bractis rŵan, debyg 'na i fyth neud fy ngradd 8. Damia 'de."

Safodd Manon, a cherddad draw i ochr arall y festri er mwyn ista wrth y piano. Llifodd ei dwylo'n braf dros yr allwedda, yn chwara rhyw sgêl ffansi, yna stopio a throi ata i.

"Ti'n cofio pan oeddan ni'n 'Rysgol Sul? Doedd fiw i ni gyffwrdd y piano, neu mi fasa Anti Gwen yn ein blagardio ni."

"Mi fasa hi'n cael y myll tasa hi'n dy weld di rŵan. 'Dim ond y cyfeilyddion swyddogol sy'n cael cyffwrdd y piano'!" medda fi gan ddynwarad Anti Gwen Tŷ Isa.

"Wyt ti'n cofio'r petha oeddan ni'n eu canu yma, 'ta? Ti'n cofio 'Iesu Cofia'r Plant'?"

"O rargian fawr, yndw. Dwi'n gobeithio bod Anti Gwen 'di stopio dysgu honna i'r plantos bach! 'Di o'm yn PC iawn, nadi?"

Trodd Manon at y piano a chwara cwpwl o gordia syml yr emyn, ac mi ddechreuon ni'n dwy ganu.

"Draw draw yn Tsieina a thiroedd Japan,

Plant bach melynion sy'n byw."

Chwarddon ni'n dwy'n euog, wrth gofio côr o blant bach ysgol Sul yn canu'r geiria yn y gwasanaeth Diolchgarwch.

"Iesgob, diniwad 'de," medda hi ar ôl i ni stopio chwerthin.

"Ti'n cofio Anti Gwen yn bytheirio Deiniol druan am ganu'r geiria rong yn y bennill ola?"

"T'bo be, sgenna i'm co. Be ddigwyddodd?"

"Ti'm yn cofio? Oedd Yncl Huw 'di bod yn ymarfar un bora Sul i esbonio'r geiria wrthan ni, ac wedi egluro be oedd 'Anfon genhadon ymhell dros y môr', ond oedd Deiniol yn sâl 'tha ci y bora yna, felly ddoth o ddim i 'Rysgol Sul. Pan ddoth o'n ôl 'rwthnos wedyn, roeddan ni wedi dysgu'n geiria ddigon del, a dyma ni'n dod at y bennill ola, a Deiniol yn canu nerth esgyrn ei ben, 'Anfon hen hadog ymhell dros y môr'. Dwn i'm sut wyt ti ddim yn cofio, achos mi ffrwydrodd Anti Gwen, a Deiniol druan yn trio esbonio bod o'n meddwl bod y plant bach melyn yn llwgu ac angan pryd o fwyd da, ac y basa fo wrth ei fodd yn cael hadog drw post."

"Naddo! Hen hadog? Sut bo fi'm yn cofio hynna?"

"Dwn i'm. Mi oeddach chdi yna, yn sefyll wrth fy ochor i."

"O'n?" Trodd Manon tuag ata i ar y stôl biano a gofyn, "Ti'n cofio'r cyngerdd Dolig 'na 'ta, pan oeddan ni 'di gwisgo fatha sêr?"

"Chdi oedd y seren, robin goch o'n i. Oedd gen i het efo pig arni, cofio?"

Ni'n dwy oedd wedi cael y fraint o gyflwyno'r cyngerdd o'r pulpud ac Anti Gwen wedi'n siarsio ni i fihafio, a pheidio meiddio symud o'r pulpud. Ond mi gafon ni'n dwy'r gigls mwya ar ôl i ni orffan ein darlleniad cynta ac aeth Manon i gymaint o stad nes iddi bi-pi'n ei throwsus, ar hyd ei sgidiau newydd. Mi stopiodd y gigls yn reit fuan wrth i'w throwsus oeri yn erbyn ei chroen tamp, a hitha efo gormod o ofn Anti Gwen i symud modfadd.

"Oedd genna i gymaint o gwilydd," meddai Manon. "Dwi'n cofio chdi'n estyn am fy llaw ac yn ei gwasgu hi'n dynn. A 'nes i droi atat ti a dy weld di'n gwenu arna i."

"Paid â'n atgoffa fi," medda fi. Ro'n i'n teimlo fy mochau yn poethi ac yn gwybod yn iawn beth oedd yn dod.

"Ac wedyn yn edrych fel tasat ti'n canolbwyntio'n ofnadwy. Fel'ma." Crychodd Manon ei thalcen a phletio'i gwefusa'n dynn, a minna'n fwyfwy ymwybodol o'r gwaed oedd yn saethu i groen fy wynab.

"Stopia," medda fi. "Mae'n *embarrassing*."

"A peth nesa o'n i'n gwbod, oeddat titha'n pi-pi yn y pulpud hefyd."

"Ti'n licio codi cwilydd arna i'n dwyt?"

"Ty'd 'laen," medda Manon gan chwerthin. "Chdi ddewisodd godi cwilydd arnat ti dy hun. Be ddoth drosta ti d'wad, yn gneud ffasiwn beth?"

"O'n i isio cadw cwmni i chdi."

"O'n i'n meddwl y basa'r ddwy ohonan ni'n cael ufflwn o row. Oedd 'na ogla pi-pi uffernol, yn doedd? Ond oedd Anti Gwen yn llawn cydymdeimlad am unwaith. Fuodd hi'n sgrwbio'r carpad efo Dettol am wthnosa."

"Dwi'n cofio hi'n deud y dylian ni fod wedi gadal y pulpud a mynd i'r toilet os oeddan ni angan pi-pi gymaint," medda fi. "Ond yn yr ymarferion fydda hi'n deud bod fiw i ni symud hyd yn oed os fydda 'na awyren yn hedfan i mewn i gefn y capal. Dwn i'm be oeddan ni fod i'w goelio, wir."

Roedd Manon yn llonydd am eiliad cyn deud, "Ta waeth, be ti isio'i glwad nesa?"

"Chwara *'Gwahoddiad'* i fi. 'Dan ni heb ganu honna ers talwm."

Dechreuodd hi dincial yr allweddi, ei dwylo'n lledaenu i fyny ac i lawr y piano, a'i throed yn gwasgu'n ysgafn ar y bedal fel ail natur. Mi ddechreuais ganu'r bennill gynta ar fy mhen fy hun.

Mi glywaf dyner lais
Yn galw arnaf fi,
I ddod a golchi 'meiau i gyd
Yn afon Calfari.

Roedd Manon a fi wedi bod yn canu hon fel deuawd ers ein cymanfa gynta, ac ymunodd hi â mi yn y gytgan, ein lleisiau'n asio heb unrhyw ymdrech, ein dwy wedi arfar yn berffaith efo tôn y llall.

Arglwydd, dyma fi,
Ar dy alwad di,

Canna f'enaid yn y gwaed

A gaed ar Galfari.

"Honna ydi'n hoff emyn i," medda Manon, rhyw elfen o hiraeth yn cropian i mewn i'w llais.

"Dwi'n gwbod."

Eisteddodd y ddwy ohonan ni'n dawel am eiliad, yn gwrando wrth i ysbryd y miwsig atseinio ar draws y festri a hongian uwch ein penna.

"Ti isio siarad am y rheswm ti'n flin, 'ta?" medda hi, ar ôl saib.

"Dwn i'm."

"Ty'd 'laen, be dwi 'di neud?"

Anadlais yn ddwfn, ac edrych i fyw ei llygaid hi wrth i lith o eiriau lifo allan o 'ngheg.

"Dwi'n flin. Dwi'n flin efo chdi, am gymaint o resyma. Dwi mond yma heddiw o dy achos di. Ti'n meddwl mai hyn dwi isio bod yn neud ar fora dydd Sadwrn? Gneud rhyw ddarlleniad yn capal? Ti 'di gweld y gwynt a'r glaw tu allan? Cwbwl o'n i isio'i neud heddiw oedd lapio'n hun mewn dwfe a gwylio teli crap. Ond diolch i chdi a dy syniada stiwpid, dwi'n fan'ma yn ysgwyd efo nyrfs! A 'nest ti'm hyd yn oed helpu fi i baratoi. O'n i'n meddwl 'sa chdi o leia'n helpu fi i ddysgu 'ngeiria. Mae'n union fatha pan oeddan ni'n genod bach, Mans. Dwi yma i chdi, a ti 'di mynd a 'ngadal i eto. Chdi a fi oedd hi i fod – be dwi fod i'w neud rŵan?"

Mi sbiodd hi arna fi â gwên feddal ar ei hwyneb.

"Dwi yma i chdi, Leus. Dyna pam ddois i bora 'ma. Dwi isio helpu."

"Fedri di ddim. 'Di o'm 'run peth ddim mwy. Dwi'n caru chdi, Mans, ond ma pob dim yn newid, dydi. Fedri di ddim helpu fi ddim mwy."

Peth nesa wyddwn i roedd Manon yn ista ar y llawr wrth fy ochor, ei braich o amgylch fy sgwydda, ein penna ni'n dwy yn pwyso ar ei gilydd a'r ddwy ohonan ni'n crio.

"A ti'n gwbod be 'di'r peth gwaetha?" medda fi wrthi, fy llais yn dew drwy'r dagra. "'Dan ni'n rhannu gymaint o atgofion. Os wyt ti ddim o gwmpas, efo pwy fedra i siarad am Deiniol a'i hadog, neu am Meic Povey, neu 'Rysgol Sul? 'Sa neb arall yn deall. Ti'n fy nabod i'n well na neb ond dwi'n teimlo, pan 'dan ni ar wahân, 'mod i'n colli hannar 'yn hanes. Dwi'n teimlo fatha 'mod i 'di dychmygu'r cwbwl lot, achos dwyt ti ddim yma i brofi bod o i gyd yn wir. Dwi'm yn nabod fy hun hebddat ti."

Clywais sŵn organ yn chwara o du mewn i'r capal, y twrw'n treiddio drwy walia'r festri. Safodd Manon ar ei thraed ac estyn ei dwylo allan i mi godi.

"Ty'd, Leus, mae o ar fin dechra."

"Dwi'm yn flin. Dwi ddim yn flin efo chdi, sti. Jyst weithia mae genna i ofn dy golli di am byth."

"Saf ar dy draed, ty'd yn dy 'laen."

Mi afaelais yn nwylo Mans, a gadael iddi 'nghodi ar fy nhraed. Roedd fy llygaid i'n brifo a'n sgert wedi crychu, a do'n i'm yn siŵr iawn lle ro'n i 'di rhoi fy narn darllen.

"Dwi'n licio dy sgert di. Lle gest ti hi?"

"O wordrob," atebais i'n swta.

"O wordrob fy chwaer," meddan ni'n dwy efo'n gilydd, yn

ddeuawd fach berffaith unwaith eto. Edrychodd Manon arna i, ac adlais o wên ar ei hwyneb. Roedd popeth yn newid o'n cwmpas ni, ac ro'n i isio aros yn llonydd efo hi am byth.

"Dos 'ŵan, neu mi fyddi di'n hwyr."

Mi dywysodd Manon fi tuag at ddrws y festri, ac es i drwodd i'r capal gan ei gadael hi'n sefyll ar ei phen ei hun.

Steddais yn y Sêt Fawr efo Mr Williams, Dafydd Morris a chwpwl o rai eraill oedd yn cymryd rhan. Mi welis i Mam a Dad yn ista cwpwl o resi y tu ôl i mi, a phasiodd Mam bacad o disiws i mi. Ro'n i wedi dod o hyd i'r darn darllan wedi'i blygu yn fy mhoced, ac ro'n i'n brysur yn trio'i smwddio ar fy nglin. Aeth y gwasanaeth heibio fel fflach a chyn i mi allu meddwl am fy nyrfs, roedd Dafydd Morris yn fy mhwnio'n ysgafn efo'i benelin ac yn pwyntio tuag at y pulpud.

Safais yn y pulpud yn edrych i lawr ar y dorf. Roedd fy nwylo'n crynu, ac ro'n i'n falch 'mod i wedi dysgu fy ngeiria achos roedd fy llygaid i fel dwy ffynnon a doedd dim modd i mi weld y papur drwy'r dagra. Roedd y gynulleidfa'n fôr o ddu o 'mlaen a'r capal wedi ei lenwi. Ro'n i'n clywad sŵn fy llais yn dod o'r tu allan i'r capal hefyd, a thybiais eu bod nhw wedi rhoi system sain yn y buarth, rhag ofn na fasa pawb yn gallu ffitio yn y capal. Fi oedd yr ola i ddarllan, ac wedi i mi orffan, mi es i'n ôl i ista yn Sêt Fawr, a gafaelodd Dafydd Morris yn dynn yn fy llaw wrth i'r Gweinidog ddarllan yr emyn ola.

"I gloi'r gwasanaeth, gawn ni i gyd ganu ar ein heistedd, hoff emyn Manon, '*Gwahoddiad*'."

Daeth sŵn cyfarwydd y cordia o beipia'r organ, a dechreuodd

y dorf ganu. Fu bron i'm llais i gracio wrth i'r arch gael ei chario allan, ond mi lwyddais i ddal ati. Ro'n i'n benderfynol o ganu.

Mi glywaf dyner lais
Yn galw arnaf i,
I ddod a golchi 'meiau i gyd
Yn afon Calfari.

Arglwydd, dyma fi
Ar dy alwad di,
Canna f'enaid yn y gwaed
A gaed ar Galfari.

O'r Sêt Fawr, gwelais gefn yr arch yn gadael y capal, yn tywys fy hanas, f'atgofion a fy ffrind gora allan i'r glaw.

Achub Aran

Llio Maddocks

MEWN CWRCWD TYN y tu ôl i graig lachar-las, cuddiai Senna rhag y gelyn. Chwilotai drwy gynnwys ei bag gan wthio poteli o ffisig, rhaffau, a chrwstyn o fara o'r ffordd, a daeth o hyd i'r map. Roedd hi wedi edrych arno ganwaith, wedi serio'r llwybrau a'r trefi ar ei chof. Bellach, roedd hi bron â chyrraedd terfyn y llwybr hwn, a gwelai swigen euraidd ar y map yn dangos yr union fan lle y cuddiai. Pipiodd dros ben y garreg yn gyflym a gwelodd resi ar resi o greaduriaid milain, degau ohonynt, yn gwarchod y giât fyddai'n ei harwain yn syth i selar y Dug, ac ochneidiodd. Eisteddodd i lawr ar ei phen-ôl gan bwyso ei chefn yn erbyn wyneb garw'r graig. Sut ar wyneb daear oedd hi am gyrraedd y giât heb dynnu sylw'r holl goblynnod?

Edrychodd ar ei harfau. Roedd ganddi fwa cadarn, wedi ei gerfio o goeden dderw'r gwrachod, ac roedd ganddi gawell yn llawn o saethau. Roedd ganddi un gyllell fechan hefyd – roedd hi wedi gorfod gwerthu tair potelaid o ffisig cartref ei mam i'w phrynu, ond roedd wedi profi ei gwerth wrth baratoi coed tân ar nosweithiau oer.

Fel fflach o olau mellten, gwelodd lun clir o'i rhieni o flaen ei llygaid a chofiodd pa mor gynnes a chlyd oedd eu bwthyn bach nhw bob amser. Gallai flasu cawl ei mam, yn dew fel hufen ar ei thafod, a dyheai am gael bod yn ôl wrth y bwrdd bwyd gydag Aran yn clebran yn fodlon yn ei gadair uchel. Ond yna cofiodd am y bore erchyll hwnnw, dri mis yn ôl, pan gafodd ei deffro gan sgrechian iasol ei mam wrth iddi weld bod crud Aran yn wag. Roedd Aran yn fachgen arbennig, roedd y gwrachod wedi proffwydo bod cryfder a chadernid y mynyddoedd ynddo ac roedd y Dug a'i goblynnod wedi ei ddwyn er mwyn rheoli holl bobl y wlad gyda grym peryglus.

Dyna pam roedd hi wedi teithio drwy'r goedwig a dros y paith nes cyrraedd Caer y Dug, yng nghanol y tywod llosg-goch a'r creigiau llachar-las, i ddod ag Aran adref.

*

Pwysodd Siôn y botwm *Start* i ddod â'r gêm i stop. Roedd o'n gallu clywed sŵn y babi'n crio, ac fe wyddai na fyddai ei fam yn codi i'w gysuro. Gydag ochenaid hir, safodd ar ei draed ac aeth yn anfodlon i lofft ei frawd. Roedd ei fodiau'n ysu am gael chwarae ei gêm, difa'r coblynnod gyda'i fwa a saeth ac achub Aran o grafangau'r Dug, ond dyna ni. Roedd ganddo waith i'w wneud nawr.

Ei dad oedd wedi prynu'r gêm iddo rai blynyddoedd yn ôl, y tro diwethaf iddo ddod heibio'r tŷ. Gêm blentynnaidd oedd hi; roedd y bechgyn eraill i gyd yn chwarae Fifa neu Grand Theft Auto erbyn hyn, ac yn tynnu ar Siôn am ddal i chwarae gemau ffantasi gwirion. Ond roedd Siôn wrth ei fodd yn gyrru Senna drwy'r coedwigoedd hudol i gyfarfod y gwrachod a cherfio bwa o'r coed cryf.

"Oreit, oreit," meddai Siôn yn ddiamynedd, a chododd y babi o'i grud isel a'i osod ar ei glun. Roedd o'n drwm ac yn drewi.

"Ych!" meddai. "Be ti 'di bod yn fyta?"

Fe wyddai'n iawn, gan mai ef oedd wedi rhoi potel iddo cyn mynd i'w wely neithiwr. Roedd ei fam yng nghanol un o'i phyliau drwg unwaith eto, ac wedi bod yn ei gwely ers dydd Mawrth. Ceisiodd Siôn ei themtio i godi ddoe gyda thamaid o dost a chwpanaid o de – roedd hynny'n gweithio weithiau. Ond symudodd hi ddim.

Gosododd Siôn ei frawd ar y cownter tenau i newid ei glwt, a daeth oglau melltigedig i lenwi'r ystafell. Gan geisio peidio anadlu'n rhy ddwfn, tynnodd y clwt budur oddi arno, ei olchi'n dyner a lapio un newydd amdano yn union fel y byddai ei fam yn ei wneud pan na fyddai yn ei gwely. Yna gwisgodd amdano unwaith eto a'i gario yn ôl i'r ystafell fyw. Roedd Aron yn tyfu ac roedd hi'n anoddach i'w gario bob tro.

"Ty'd," meddai Siôn. "Gei di helpu fi i gwffio'r Dug."

Chwarddodd Aron yn hapus a chydiodd ei ddwylo bach am ganol ei frawd. Roedd o'n fabi bodlon.

"Sgwn i ydi cryfder y mynyddoedd ynddot tithau hefyd?" gofynnodd Siôn yn annwyl gan gosi gên tew ei frawd.

*

Pipiodd Senna dros grib y graig unwaith eto, cyn tynnu saeth o'r gawell a'i gosod yn ofalus ar linyn y bwa. Gydag un llaw gadarn ar y saeth, tynnodd hi'n ôl nes bod y llinyn yn cwyno. Cadwodd ei dwy lygad ar agor gan syllu ar y coblyn agosaf. Yna fel fflach, gollyngodd y saeth ac o fewn eiliad roedd yn plannu ei hun yng nghroen y coblyn, yn ei galon. Roedd Senna ar fin dathlu pan glywodd sŵn corn hela, a gwelodd fod yr holl goblynnod wedi troi tuag ati. Daliodd ei hanadl yn ei dwrn wrth iddynt agosáu at y garreg lachar-las. Roedd yn rhaid iddi ddianc.

Gan aros yn agos i'r llawr, rhedodd tuag at goedwig gacti piws oedd rai metrau oddi wrthi, a phowliodd ei hun fel melin ddŵr y tu ôl i un o'r planhigion. Gwnaeth yn siŵr nad oedd yn ei gyffwrdd, roedd y pigau hir yn bownd o fod yn wenwynig ac roedd hi angen ei holl egni a'i hiechyd i gwffio yn erbyn y Dug. Cuddiodd am rai munudau nes tawodd y corn hela. Gwyddai y byddai'r coblynnod yn dal i edrych amdani wrth y graig las – efallai eu bod nhw'n filain, ond roedden nhw'n dwp hefyd. Tyllodd ei fferau i mewn i'r ddaear a theimlo'r tywod yn tasgu i mewn i'w hesgidiau. Roedd hi mewn twll, a wyddai hi ddim sut i ddod allan ohono. Yna teimlodd gysgod anferth yn dod drosti. Cododd ei bwa'n reddfol gan obeithio nad awyrlong y Dug oedd uwch ei phen – roedd hwnnw'n beth peryglus. Ond yno yn hongian yn yr awyr fel siglen anferth roedd basged wellt, ac uwch ei phen, balŵn fawr wyrddlas oedd bron yn anweledig yn erbyn yr awyr.

"Watsia dy hun!" gwaeddodd llais uchel wrth i raff hir gael ei lluchio i lawr tuag ati.

"Gwna ffafr â fi, wnei di?" meddai'r llais eto. "Clyma'r rhaff wrth yr angor 'ma."

Edrychodd Senna o'i chwmpas ond doedd dim un angor i'w weld. Roedd hi ar fin gweiddi nad oedd dim byd i glymu rhaff wrtho, pan laniodd angor gyda chlep enfawr wrth ei thraed.

"Watsia dy hun!" meddai'r llais unwaith eto.

Gan ysgwyd ei phen mewn rhyfeddod a gan ddiolch i'r duwiau nad oedd yr angor wedi glanio arni, dechreuodd Senna dyllu twll digon dwfn i'r angor gydio. Unwaith y cyrhaeddodd dywod gwlyb, gollyngodd yr angor yn y twll a'i orchuddio â'r tywod gwin-goch. Clymodd y rhaff yn fedrus am ddolen yr angor, ac yn araf daeth y falŵn i lawr i'r llawr.

"Diolch i ti," meddai'r llais uchel unwaith eto, ac o'r fasged neidiodd y person lleiaf i Senna ei weld erioed. Dim ond dwy droedfedd o uchder oedd o, a rhyfeddai Senna ei fod wedi gallu gweld dros ochr y fasged.

"Tin Pinnau 'di'r enw, sut alla i helpu?"

Edrychodd Senna unwaith eto ar y falŵn anferth, a chafodd syniad.

*

Canodd cloch y drws ac ochneidiodd Siôn unwaith eto. Doedd dim llonydd i'w gael. Gan godi Aron ar ei glun aeth i ateb y drws a gwelodd wyneb clên ei gymydog, Mrs Preis.

"Helô," meddai Siôn yn siriol, er ei fod yn ysu i ddychwelyd at Senna a Tin Pinnau.

"Helô, Siôn," meddai hithau gyda gwên. "Sut ydach chi'ch dau heddiw?"

"Iawn diolch, Mrs Preis."

"A sut mae dy fam? Dwi heb ei gweld hi ers rhai diwrnodau."

Cnodd Siôn ei wefus isaf yn dawel, heb wybod yn iawn sut i ateb.

"Mae hi'n iawn. Yn ei gwely, wedi blino."

Gwyliodd Siôn wrth i'w gymydog nodio'n ofalus. Yna cododd fag plastig o'r stepan drws a'i gynnig i Siôn.

"Dyma chdi, yli," meddai'n ysgafn. "Lasagne i swpar. Rho fo yn y popty am hanner awr nes bydd y caws yn troi'n swigod. Ac mae 'na jar bach o stwnsh i Aron."

"Diolch, Mrs Preis."

Roedd Mrs Preis yn dal i sefyll ar y stepan pan gaeodd Siôn y drws, a theimlai hi'n dal i syllu arno drwy'r pren wrth iddo gerdded i'r gegin. Rhoddodd y bag plastig cyfan yn yr oergell ac aeth yn ôl i'r ystafell fyw i wneud ei hun yn gyfforddus o flaen y sgrin.

"Awn ni'n ôl i weld sut mae Tin Pinnau?" gofynnodd i'w frawd, a chwarddodd yntau'n llon.

*

Cytunodd Tin Pinnau i roi pàs i Senna unwaith y byddai wedi rhoi help llaw iddo godi tanc o nwy i mewn i'r fasged. Daeth Senna o hyd i danc newydd sbon y tu ôl i un o'r cacti, ei lusgo yn ôl a'i godi'n ddidrafferth i'r fasged. Yna rhoddodd hwb i Tin Pinnau a phowliodd yntau dros ochr y fasged.

"Diolch i ti," meddai ar ôl codi, a dringodd Senna ar ei ôl.

Rhyfeddodd wrth weld y tu mewn i'r fasged. Roedd gan Tin Pinnau stôl uchel ac ysgol er mwyn iddo gyrraedd y taniwr, ac roedd silffoedd bach pren ar hyd yr ochrau gyda phob math o declynnau – cwmpawd arian anferth gyda botymau ar hyd yr ymyl, ysbienddrych hir, mapiau o wledydd pell. Heb rybudd, taniodd Tin Pinnau y nwy ac ysgydwodd y fasged. Gafaelodd Senna yn un o'r silffoedd yn dynn wrth iddynt godi fel roced o'r ddaear.

"Watsia dy hun," meddai Tin Pinnau gyda gwên. "Dwi'n licio mynd yn gyflym!"

Gwyliodd Senna'r cacti a'r creigiau glas yn pellhau. Roedd hi'n hedfan uwchben y coblynnod, ac roedd hi'n gallu gweld Caer y Dug yn ymddangos drwy'r cymylau. Diolchodd Senna i'r duwiau bod Tin Pinnau wedi cytuno i'w helpu. Unwaith roedd y falŵn yn hedfan uwchben tŵr uchaf y Gaer, taflodd Tin Pinnau y rhaff dros yr ochr.

"Watsia dy hun," meddai eto, wrth wylio Senna'n dringo dros yr ochr. Diolchodd Senna i'w ffrind newydd, a llithrodd yn fedrus i lawr y rhaff hir. Rholiodd fel pêl fechan ar hyd y platfform euraidd ac aeth i guddio y tu ôl i wal. Chwifiodd ei llaw wrth wylio'r balŵn yn diflannu y tu ôl i gwmwl gan obeithio y byddai'n gweld Tin Pinnau unwaith eto rhyw ddydd i gael diolch yn iawn iddo.

Gwyddai Senna fod ei brawd bach yma yn rhywle. Ar ochr arall y platfform roedd drws pren. Cripiodd yn dawel tuag ato gan roi ei llaw ar un o'i saethau, ac agorodd y drws. O'i blaen roedd coridor hir, tywyll, a cherddodd Senna yn ofalus. Gwyddai y byddai cannoedd o goblynnod yn amddiffyn y Dug. Trodd y gornel a daeth wyneb yn wyneb â'r coblyn mwyaf a welodd erioed. Cyn iddi allu tynnu'r saeth o'i chawell, roedd y coblyn wedi ei thrywanu â'i gleddyf, a gwaeddodd Senna wrth i bopeth o'i chwmpas droi'n ddu.

*

Ochneidiodd Siôn am y trydydd tro y bore hwnnw. Roedd Aron wedi tynnu ei law ar yr union eiliad yr ymddangosodd y coblyn yn y coridor, a doedd o ddim wedi gallu pwyso'r botwm i ymosod arno.

"Dwyt ti ddim llawer o help, nag wyt?" meddai wrth ei frawd. Byddai'n rhaid iddo drio eto i gwblhau tasg Senna.

Cyn ailddechrau'r gêm, aeth i'r gegin i baratoi cinio. Edrychodd yn awyddus ar y lasagne yn yr oergell, a phenderfynodd ei fwyta i ginio ac i swper. Yn y bag plastig, roedd pecyn o salad ffres a darn o fara garlleg, ac addawodd Siôn fynd heibio tŷ Mrs Preis y prynhawn hwnnw i ddiolch yn iawn.

Wedi cynhesu ychydig o'r stwnsh i Aron, gwnaeth ddwy sleisen o dost a phaned i'w fam. Gan adael Aron yn ei gadair uchel, aeth i gnocio ar ddrws ei llofft.

"Mam?" gofynnodd yn dawel. "Ti ffansi brecwast?"

Roedd ei fam yn cysgu, ac roedd arogl stêl yn y llofft felly agorodd y ffenest a gadael y tost a'r baned ar y cwpwrdd bychan, gan glirio llestri ddoe oddi arno. Yna aeth yn ôl i'r gegin. Gallai drio ei bwydo eto yn nes ymlaen.

Pan drodd y caws ar y lasagne yn swigod, tynnodd y bwyd

o'r ffwrn a rhoi tipyn ohono ar blât. Roedd Aron wedi gorffen ei stwnsh, felly aeth y ddau yn ôl i'r ystafell fyw.

"'Nawn ni drio eto?" gofynnodd i'w frawd drwy gegiad o'r lasagne. Pwysodd *Start*.

*

Mewn cwrcwd tyn y tu ôl i graig lachar-las, cuddiai Senna rhag y gelyn. Pipiodd dros ben y garreg yn gyflym a gwelodd resi ar resi o greaduriaid milain, degau ohonynt. Cododd yn hyderus gan dynnu saeth o'r gawell. Roedd hi'n barod i drio eto.

Hedfan Barcud

Gareth Evans Jones

T EIMLODD Y GLAW yn tasgu'n ddafnau mân ar ei wyneb, a'r cortyn yn gwasgu'n llinell goch o amgylch ei law. Gallai glywed murmuron o gyfeiriad y traeth ac ambell wylan yn clegar ar eu traws, ond nid oedd hynny'n mennu dim arno. Roedd ei sylw wedi'i hoelio ar lwybr sigledig y barcud a llygaid llaith yr anghenfil plastig. Yn y man, lledodd gwên ar ei wyneb i herio dagrau'r anghenfil.

"Cofia ddal y cortyn yn dynn."

Yr un cyngor fyddai ei dad yn ei roi bob blwyddyn ers pan oedd Tom yn bedair oed wrth iddo fwynhau ei anrheg pen-blwydd. Yr un cyngor wrth i'w dad afael yn ei freichiau i sadio hediad y barcud. A'r dwylo'n gynnes o amgylch ei arddyrnau cyn i'w dad ostwng un fraich a gollwng ei afael, gan wneud i'r barcud ysgwyd ei gynffon yn wyllt.

"Dal yn dynn."

Roedd golwg wahanol ar ei dad eleni. Roedd ei lygaid yn llawn, a'r gwrid wedi dychwelyd i'w ruddiau. Nid dwylo llwyd oedd yn ei lywio fel y llynedd, pan oedd y barcud glas yn benderfynol o ddianc o'i afael. Nid y bysedd esgyrnog oedd yn cydio am ei ddwylo eleni. Ac nid oedd y cryndod, a oedd wedi trigo yng ngwddw ei dad dros y blynyddoedd diwethaf, bellach yn baglu ei lais.

Roedd ei dad yno drachefn. Yn cadw eu harferiad.

"Dwi'n licio fflio ceit."

Dywedai hynny bob blwyddyn ar y clogwyn uwch y traeth. Ers y tro cyntaf hwnnw pan oedd Tomos y Tanc yn gwenu'n ôl arno yn lle'r anghenfil hwn.

"Barcud 'di ceit, 'te, Dad?"

"Ia, washi."

"Ond ceit dwi'n fflio, ia, Dad?"

"Ia... Ceit."

A'r ceit yn hen beth aflonydd, eisiau dianc i'r môr, eisiau dilyn hediad y gwylanod. Yna, clywodd Tom eiriau ei dad yn crynu yn yr awel eto.

"Fydda inna'n dilyn y gwylanod 'na ryw ddydd. Allan i'r môr."

"Pam, Dad?"

A'r cryndod yn ei lwnc yn rhwystro'r geiriau rhag codi, wrth i'r barcud droi ar i waered – a chwympo.

Cerddodd Tom yn ei flaen i ben y clogwyn, ac edrych ar y barcud yn cyhwfan oddi tano, ar y tonnau'n tasgu yn erbyn creigiau. Arhosodd felly am sbel cyn penderfynu gwasgu'i ddyrnau'n dynn, dynn, eu codi a dal ei freichiau'n uchel, gan deimlo dwylo'i dad am ei benelinoedd. A disgwyl. Aros am yr union eiliad pan fyddai'r gwynt yn ddigonol. Teimlai'r hen chwilfrydedd yn ei lenwi fesul eiliad; y cyffro'n cydio cyn camu'n ôl o'r diwedd a gwylio'r plastig yn esgyn. A wyneb y barcud yn llenwi.

Cerddodd dau o'r traeth heibio'n araf gan wylio'r llanc pedair ar ddeg oed yn ymgodymu â'r barcud uwchben.

"Gofala nad ei di'n rhy agos at y dibyn!"

Byddai'r rhybudd gan ei dad yn siŵr o ddilyn wrth i'r gwynt lenwi ei hwyliau ac wrth i lwybr anwadal y barcud ei swyno. Dymunai fod fel y barcud; deisyfai gael hedfan yn uchel ac ildio i'r gwynt.

"Fath â nofio," meddai ei dad un tro pan oedd Tom yn naw oed.

"Nofio?"

"Ia. Wel, yli di ar y wylan 'na," a Tom yn sylwi ar aderyn yn hofran ar y gwynt. "Mae hi'n union fel tasa hi'n nofio ar donnau'r môr."

"Ond ei bod hi'n nofio ar donnau'r gwynt?"

"Yn union."

Ac ar yr union eiliad â'r atgof, gwelodd Tom wylan lwyd yn arnofio yn yr awyr. A daeth cysgod gwên i'w wyneb.

O dipyn i beth, teimlodd y llinyn yn llacio am ei law wrth i'r awel gilio'n araf. Gwrandawodd ar y camau'n nesáu ato cyn teimlo'r llaw gynnes ar ei ysgwydd. Y llaw a oedd bellach yn rhith.

"Gwylia di hyn," sibrydodd wrth Tom.

Llithrodd y llinyn yn sydyn o'i afael gan adael dim ond hafn ar ei ôl. Roedd y gwynt wedi codi a llygaid yr anghenfil yn chwerthin wrth iddo ymbellhau oddi wrth y dibyn. Gwyliodd ef yn troelli, a pho bellaf yr âi, y mwyaf miniog yr ymddangosai'r wên.

"Allan i'r môr."

Atseiniai'r geiriau wrth i gri'r gwylanod ferwino'i glustiau, gan roi llais i'r barcud yn y pellter. Gwyliodd y gynffon yn dolennu wrth iddi esgyn yn uwch ac yn uwch.

"Tom!"

Clywodd ddrws y car yn cau'n glep y tu ôl iddo, ond ni throdd i edrych.

"Tom!"

Dal i ddilyn llwybr cyfnewidiol y barcud a wnaeth wrth i'w fam osod ei dwylo'n ofalus am ei ysgwyddau. Roedd yr awel yn chwibanu ac anadl ei fam yn gynnes yn ei glust. Caeodd ei ddyrnau'n dynn wrth wylio'r tonnau islaw'n tasgu a throelli.

"Wnes i fethu'i ddal o, Mam."

Gwasgodd hithau ei bysedd am ysgwyddau'i gôt wrth i'r ddau wylio'r barcud yn diflannu o'u golwg.

Plant Angor

Menna Machreth

"MYND YMLAEN, DYNA faswn i'n neud."
Roedd Nadya wedi cyrraedd lefel arall o ymbil erbyn hyn. Ceisiai swnio'n rhesymol ac yn bwyllog, ond ymbil yr oedd hi mewn gwirionedd.

"Pwy a ŵyr a ddôn nhw o hyd i dy fam, Yara. Gallai fod yn wythnosau. Misoedd hyd yn oed."

Hi oedd yn iawn wrth gwrs. Roedd tri diwrnod ers i'r cwch droi drosodd a cholli dau gant allan o dri chant o deithwyr i'r môr. Fy mam yn eu plith. Daeth corff dyn ifanc i'r lan bore 'ma, dim ond y nawfed corff i ymddangos. Roedd hyd yn oed y môr yn poeri ni'r gwehilion o'i grombil.

"Ond efallai ei bod hi'n dal yn fyw. Efallai iddi'i gwneud hi i'r bae nesaf, a'i bod mewn gwersyll arall..."

"Efallai ei bod hi, Yara, ac os yw hi, fe wna i ddod o hyd iddi ac fe ddilynwn ni ti. Y peth gorau i ti wneud nawr yw mynd yn dy flaen a dod o hyd i Ali. Dyna pam ddechreuon ni'r daith ddiawledig 'ma i ddechrau, felly waeth i ti gario mlaen..."

Roedd Nadya'n dechrau colli ei hamynedd. Rhyfedd sut fu iddi addasu i feddwl yn wrthrychol oeraidd am bethau, hyd yn oed ei chwaer yng nghyfraith yn boddi. Nadya – yr un a lefai'r glaw wrth ddarllen y papur newydd, heb erioed feddwl y gallai'r pethau hynny ddigwydd i'w theulu ei hun.

"Gwranda, Yara," meddai gan gynnig mwy o gydymdeimlad yn ei llais, "dyma'r sefyllfa ry'n ni ynddi. Mae popeth tu hwnt i'n rheolaeth ni nawr. Fe ddewison ni oroesi, ac anfon Ali ymlaen i'r Almaen i ddod o hyd i le i ni. Roedden ni'n gwybod am y risg wrth gamu ar y cwch ond fe gytunon ni ei bod hi'n risg werth ei chymryd. Fedren ni ddim aros yn Irac, ti'n gwybod hynny'n iawn. Mae Ali wedi cael ei droed i mewn, cer ar ei ôl e a fyddan nhw'n dy gymryd di hefyd. Ti'n dair ar ddeg, yn tyff ac yn benderfynol. Dyma'r cyfle gore gei di."

Roedd hi'n iawn; os oedd Mam wedi marw yn y môr byddai pob diwrnod y treuliwn i yma yn wast. Cyrhaeddai degau y gwersyll ar arfordir yr Eidal bob dydd ar ôl croesi o Libya a phrin oedd y bwyd i'w rannu rhwng pawb, gan gynnwys Nadya a'i dau blentyn; byddai'r pecyn bwyd a roddwyd i bob teulu yn rhoi gwell boliaid rhwng tri na rhwng pedwar. Ac i fi, bod gydag Ali eto oedd yn bwysig bellach, yn fwy na dim arall.

"Iawn, ar yr amod eich bod chi'n dilyn cyn gynted ag y gallwch chi – a dy fod ti'n trio dod o hyd i Mam."

"Wrth gwrs," atebodd Nadya.

*

Gadewais y gwersyll yr un pryd â chriw tua'r un oed â fi ac fe deithion ni gyda'n gilydd i'r gogledd drwy'r Eidal. Roedd yr her o'm blaen yn ddigon i wneud i fi anghofio beth oedd newydd ddigwydd. Dychmygais y gallai'r golygfeydd ohonom yn cydgerdded a chyd-ganu fod mewn ffilm. Teimlai fel rhyddid. Chwerthin a rhedeg trwy gaeau o wair hir, a'r haul yn cosi ein cefnau yn hytrach nag yn drwm ar ein pennau fel y buasai adref yn Irac. Tawelu wedyn wrth feddwl am yr ewyn yn golchi Mam ar y traeth.

Doedd dim angen i'r un ohonom egluro ein hanes. Roedd pob stori'n un gyffredin. O dan y sêr un noson cyn cysgu, fe siaradon ni am y peth mwyaf gwerthfawr oedd yn ein meddiant. Nid gwerthfawr yn ariannol, ond gwerthfawr i ni. Gleiniau pader oedd gan un, dagr ei dad gan un arall. Roedd Avine o Syria flwyddyn yn hŷn na fi a siâp corff dynes ganddi'n barod. Cadwai lun a dynnwyd gan ei brawd bach – llun yn dangos sut y byddai'n hoffi i ddinas Aleppo yn Syria edrych ar ôl y rhyfel. Gwelwn Avine yn cymryd cipolwg slei ar y llun bob hyn a hyn pan gredai nad oedd neb yn edrych.

Avine oedd y cyntaf o'i theulu i adael Syria. Bu'n rhaid i'w theulu adael eu pentref ar ôl i'r lle gael ei feddiannu gan IS. Ar ôl llwyddo i ddianc, dechreuodd y bomiau ddisgyn. Roedd hithau â'i bryd ar gyrraedd yr Almaen. Pe bai'n llwyddo i gael lloches yno, gallai anfon at ei theulu ac fe fydden nhw'n dod draw i ymuno â hi.

"Dyna'n union mae Ali fy mrawd wedi gwneud i'n teulu ni. Mae e wedi mynd o'n blaenau ac yn aros amdanon ni mewn gwersyll yn yr Almaen. Meddylia, falle bydd dy frawd yn dy ddilyn di y flwyddyn nesaf, fel yr ydw i'n dilyn Ali," meddwn gyda balchder yn fy llais.

"Galla i ond breuddwydio," meddai Avine, ei gobeithion wedi eu tymheru'n fwy na fy rhai i. Roedd ganddi lygaid tylluan a fyddai hi braidd byth yn eu cau i gysgu. "Dwed wrtha i am Irac; ai'r IS sydd wedi'ch gorfodi chi i ffoi hefyd?"

"Ie," atebais, gan geisio meddwl am ffordd o roi diwedd i'r sgwrs. "Mae meddwl am y pethau maen nhw wedi'u gwneud yn codi arswyd arna i."

"Ry'n ni i gyd wedi gweld pethau, clywed pethau. Does dim angen dweud dim." Rhoddodd Avine ei braich amdana i.

Mam. Byddai'n rhaid i fi ddweud wrth Ali am Mam. Doedd pethau ddim wedi bod yr un fath rhyngddyn nhw ers iddi ei gyhuddo o helpu ei brawd. Ceisiais sgriptio'r sgwrs yn fy mhen... a gorfod cyfaddef i fi adael cyn gwybod beth ddigwyddodd iddi. Ond fe fyddai Ali'n deall. Roedd rhaid i fi fynd ato. Dim ond ynddo fe y gallwn i ymddiried bellach.

Daeth Mo, un o'r criw, o hyd i yrrwr fan i fynd â ni i Awstria. Gallwn dalu fy siâr, er y golygai hynny nad oedd clincen gen i i'm henw, ond os âi'r fan â ni i'r man cywir, byddwn o fewn cyrraedd i Ali mewn dim o dro.

Roedd golwg bryderus ar y gyrrwr wrth i ni ddringo i gefn ei lori. Pan sylweddolodd fod Avine bum ewro yn brin o'r pris y cytunwyd y pen, craffodd arni ac edrych i fyny ac i lawr ei chorff.

"Ach, plant ydych chi," meddai dan rwgnach a gadael i Avine neidio i mewn i'r fan hefyd. "Rydych chi fel llygod mawr ar hyd y lle 'ma. Gadael un i mewn ac mae'r lleill yn dilyn. Chi ydy'r *anchor children*, ie?"

"Chi'n ddigon hapus i gymryd ein harian," atebodd Mo.

"Gwyliwch eich hunain," meddai'r gyrrwr. "Mae pethau'n newid yn Ewrop. Byddai rhai o fy ffrindiau am fy ngwaed i am eich helpu chi i ddod yma. Maen nhw eisiau rhoi matsien i'ch gwersylloedd chi, ond mae Merkel yn croesawu pawb, fel pe bai'r Almaen yn bwll diwaelod."

Agorodd ei waled a rhoi ein harian ynddi. Ar un ochr o'r waled roedd llun o ferch benfelen tua saith oed yn gwenu'n daer. Unwaith y gwelodd fod pawb wedi eistedd yn llonydd, caeodd drws y fan yn glep.

*

Deffrais mewn gwersyll arall yn llwgu eisiau bwyd. Roedd hi'n ddiwrnod llwyd. Codais ar fy eistedd a chlywed crensian y bag wrth i mi godi. Tawelwch. Diolchais yn dawel am y to uwch ein pennau.

Cafodd Mo ei arestio cyn i ni groesi'r ffin o Awstria ar ôl dwyn hanner torth o fara o fecws. Bu'n fis hir ers i ni wario ein harian ar y fan ddaeth â ni dros y ffin o'r Eidal i Awstria, ond dim ond ar droed y gallem deithio bellach. Buom yn cysgu ar gerrig llaith mewn twneli – digon i wneud i'r iachaf ohonom ddechrau pesychu. O bell, fe wylion ni Mo yn cael ei lorio gan heddwas, heb sylweddoli fod un arall yn rhedeg tuag atom ni. Fe gornelodd yr heddwas ni a mynnu gwybod o ble roedden ni'n dod ac i ble roedden ni'n mynd.

"Syria," medden ni i gyd, er mai dim ond Avine oedd o Syria go iawn. Roedd tri o Affganistan, un o Nigeria a finnau o Irac.

"Ewch o 'ma reit handi," cyfarthodd yr heddwas. "Mae'r ffin â'r Almaen bum milltir ffor'na. Chewch chi ddim aros yma."

Fe adawon ni Mo a'i baglu hi am y gogledd.

*

Roedden ni mewn hen warws a oedd yn cael ei ddefnyddio fel llety dros dro i ffoaduriaid. Gwelais ddegau ar ddegau o fagiau tebyg i'r un roeddwn wedi cysgu ynddo o'm cwmpas, pob un a stamp rhyw fudiad arno. Dim ond un o blith nifer o'n i. Yr eiliad honno dim ond fi oedd i'w weld y tu allan i'r bagiau, a phawb arall yn ddiwyneb, yn ddi-nod. Gallent fod yn barseli yn barod i'w postio. Roedd y bagiau mor llonydd; i lygaid dieithr edrychent yn union yr un fath ond roedd stori wahanol i gynnwys pob bag.

Es i chwilio am rywbeth i'w fwyta. Cefais gynnig chwilio mewn bagiau anferth o ddillad a gasglwyd i ffoaduriaid. Wrth i fi dyrchu i weld a oedd siwmper gynnes yno, clywais lais y tu ôl i mi:

"Hei, ma mwy o ddillad draw fan'na."

"Ocê, diolch..."

"Jyst dweud. Falle fod 'na rywbeth fase'n dy siwtio di'n well. Anwybydda fi os ti isie."

"Na, na, diolch."

Roedd y bachgen dipyn yn hŷn na fi, tua ugain oed. Edrychais drwy'r bag y cyfeiriodd fi ato ond doedd dim byd digon cynnes yr olwg ynddo. Gafaelais mewn siwmper o'r bag cyntaf.

Safai'r bachgen nid nepell oddi wrtha i o hyd, yn loetran, fel pe bai'n disgwyl i rywun basio. Gwaeddais ar ei ôl a gofyn iddo a oedd yn adnabod fy mrawd. Doedd e ddim wedi ei weld, ond addawodd i ofyn i ffrind iddo a deithiai o gwmpas y gwersylloedd gwahanol. Diolchais iddo. Roedd rhaid dechrau yn rhywle. Gallai fod wedi symud ymlaen, ond os felly, sut fyddwn i'n dod o hyd iddo? Efallai fod sawl warws debyg yn yr ardal, rhai'n cynnig cartref mwy parhaol tra bod ffoaduriaid yn aros am ganiatâd i aros.

Tybed a oedd Ali wedi bod yma a gweld golygfa debyg? Plant a guddiai yn nillad eu mamau, rhai'n chwarae mig rhwng y pileri moel, plant ag arswyd ar eu hwynebau bob tro y clywent sŵn uchel. Byddai rhai ohonynt wedi mwynhau bywyd cyfforddus cyn gorfod ffoi rhag y bomiau.

"Hyd yn oed os na ddei di o hyd iddo, fe fydd gennym ni fywyd newydd fan hyn," meddai Avine gan siarad drosti'i hun yn fwy na chynnig cysur i fi.

Anwybyddais hi a'r synau bach sinistr a atseiniai drwy'r warws, a chau fy llygaid i gysgu. Breuddwydiais am fôr-forynion a gweld wyneb Mam yn eu plith.

*

"Yara! Yara! Lle wyt ti?"

Llais Avine yn fy neffro.

"Y dyn yna! Mae e'n ôl! Ac mae e'n gwybod lle mae Ali!"

Gwyrth, dim llai. Arweiniwyd fi at gyfaill y ffrind, Jibrin, a dywedodd wrtha i ei fod yn ffrindiau gydag Ali a'i fod ar ei ffordd i'r gwersyll i'm gweld.

"Mae Allah yn gwenu arnat ti, Yara!" bloeddiodd Avine drwy ei dagrau.

Oedd, roedd yn aduniad melys. Rhyddhad yn fwy na dim. Ond yn aduniad poenus hefyd.

"Ti'n deall, yn dwyt? Roedd rhaid i fi ddod atat ti. Allwn i ddim aros i glywed..."

"Ydw, wrth gwrs," meddai Ali, gan lyncu'n galed.

"Rwyt ti'n edrych yn ifancach heb dy farf! Doedd hi ddim gwerth ei galw'n farf, cofia!"

"Oi!" Gwthiodd Ali fi i ffwrdd yn chwareus.

Dywedodd Ali. "Gwranda, rhaid i ni fynd, ond fe fydda i'n ôl."

"Ti'n fy ngadael i fan hyn?" holais mewn anghrediniaeth.

"Na, sdim rhaid. Fedrwch chi ddod gyda ni, ferched," cynigiodd Jibrin.

"I ble chi'n mynd?"

"Prydain. Fyddwch chi'n aros mewn llefydd fel hyn am fisoedd, blynyddoedd falle yn yr Almaen. Mae Prydain yn mynd i dderbyn plant sydd ar eu pen eu hunain. Tair mil, ddwedon nhw. Dyna lle'r ydyn ni angen mynd. Gawn ni le yno, heb angen cystadlu gyda'r rhain i gyd."

Cytunodd Avine a finnau. Roedd Ali'n welw iawn, y gwaed a'r lliw haul wedi dianc o'i fochau.

*

Gyrrodd Jibrin drwy'r nos. Roedd Ali ac yntau wedi cael addewid o waith ym Mhrydain, ac roedd y fan yn rhyw fath o ernes i ddangos y byddai eu cyflogwr yn cadw at ei air.

Yn gynnar yn y bore stopion ni yn McDonalds, a phrynodd Jibrin fyrgyr yr un i ni. Gallwn weld bod Avine wrth ei bodd.

"Byddwn ni'n mynd i'r gwersyll yn Calais a gobeithio bydd plant eraill yn teithio gyda ni." Roedd byrgyr brecwast Jibrin yn hongian allan o'i geg wrth iddo siarad. Hedfanai adar uwch ein pennau yn chwilio am friwsion.

Ar y ffordd yn ôl i'r fan, gafaelodd Ali yn fy mraich.

"Yara, sdim rhaid i ni fynd i Brydain gyda Jibrin. Dwi wedi clywed bod Sweden yn lle gwell. Paid sôn dim wrth Jibrin eto."

Gollyngodd fy mraich wrth i ni agosáu at y fan.

Rhyw awr o Calais oedden ni pan ddechreuodd Jibrin godi crachod. "Fe fydd rhaid i ni sticio gyda'n gilydd yn y gwersyll – dim crwydro'n rhy bell. Peidiwch â dweud gormod am bwy ydych chi na sut rydyn ni'n mynd i Brydain – fedrwch chi ddim trystio neb. Na, Ali?"

"Na," meddai Ali gan wingo yn ei sedd.

"Fydden ni ddim eisiau i neb fynd ag Ali, na fydden?"

"Beth? Pwy fyddai'n gwneud hynna?" meddwn i mewn panig.

"Os ddwedi di ormod, Yara, gallai rhywun ddyfalu eich hanes chi. Mae rhwydwaith IS yn fach. Gallai rhywun weithio allan yn hawdd pwy yw eich teulu chi, yn enwedig os oes 'na bobl o Irac yn Calais. Ac fe fydd 'na."

"IS? Am be ti'n siarad?" Avine oedd yn gwingo nawr.

"Os daw'r heddlu i wybod fod gan Ali gysylltiadau â'r Wladwriaeth Islamaidd, wel, fydd hi'n ta-ta wedyn."

Trodd Avine ata i. "A finnau'n meddwl ein bod ni'n ffrindiau, ond ti'n un ohonyn *nhw*!"

"Fi? Na, Avine, dwi ddim. A dyw Ali ddim chwaith. Dwi'n addo."

"Sut alla i'ch trystio chi?" meddai Avine. "Ai tric yw hyn?"

"Gwranda, Avine, mae Ali a fi'n dianc oddi wrth IS, jyst fel ti. Fe laddon nhw Dad oherwydd iddo wrthod ymuno â nhw. Rhaid i ti gredu ni."

"Wir?"

"Wir."

"Ond roedd dy deulu di'n ymwneud ag IS, Yara, alli di ddim gwadu hynna." Roedd min yn llais Jibrin na chlywais o'r blaen. "A dwyt ti'm yn gwybod faint o dystiolaeth sydd ganddyn nhw fod Ali wedi bod yn rhan o'r criw. Maen nhw'n gwybod popeth."

Fi oedd yn gwingo bellach.

"Ali..."

"Ocê, ocê... fe wnes i gamgymeriad! Wnes i ddim anafu neb, dwi'n addo. Dwi ddim fel fy wncwl. Unwaith i fi sylweddoli beth oedd yn digwydd, fe wnes i ddianc... mae'n anodd gwybod pwy yw'ch ffrindiau weithiau pan mae cymaint o elynion ambwyti'r lle."

*

Cyrhaeddon ni Calais ddechrau'r prynhawn ac roedd y lle'n ferw o bobl. Roedd y gwersyll mawr wedi ei gau rai misoedd yn ôl, ond roedd ffoaduriaid yn dal i gyrraedd yno, yn dal i obeithio am ffordd dros y Sianel, felly dechreuwyd gwersylloedd llai er nad oedd yr awdurdodau'n eu cydnabod. Plant neu bobl dan ddeunaw oed oedd dros hanner trigolion y gwersyll a'r rhan fwyaf yn aros i glywed a oedd eu cais am loches ym Mhrydain wedi cael ei ganiatáu. Byddai gan rai ohonynt achos cryf oherwydd bod ganddynt deulu yno'n barod. Gallwn adnabod wyneb ffoadur yn rhywle; y llygaid yn gwibio o un man i'r llall yn chwilio am arwydd o obaith. Mewn ystafell o gant o bobl gallwn bwyntio at yr un a oedd yn ffoadur.

Cododd Jibrin ac Ali babell i Avine a finnau. Wrth i ni swatio i gysgu a dwyn gwres ein gilydd dechreuodd Avine grio.

"Sori, ond dwi jyst yn dechrau credu am y tro cyntaf ers amser hir fod popeth yn mynd i fod yn iawn."

"Ro'n i'n gwybod y byddai pethau'n iawn pe bawn i'n dod o hyd i Ali," meddwn.

"Efallai gall pethau fod yn wahanol i ni ryw ddiwrnod."

"Dilyn ein breuddwydion – fel dy frawd yn tynnu llun o'ch dinas chi ar ôl y rhyfel."

"Yara, mae fy mrawd wedi marw. Yn Aleppo... Bom... roedd ei gorff bach e'n rhacs..."

"O, Avine..." Daliais ynddi'n dynn a meddwl am y lluniau na fyddai ei brawd byth yn eu gweld.

*

Roedd popeth wedi'i drefnu, ac ugain ohonom yn bwriadu teithio yng nghefn lori dan arweiniad Jibrin. Gallem fod yn Lloegr o fewn ychydig oriau.

"Wyt ti wedi gweld Ali?" gofynnodd Jibrin.

"Na…" meddwn i.

"Os gweli di o, dwed wrtho 'mod i'n chwilio amdano. Ry'n ni'n gadael mewn dwy awr ac mae lot i'w wneud… a Yara, bydd popeth yn ocê, dwi'n addo."

Gwenodd, a'i lygaid mawr yn edrych i ganhwyllau fy rhai innau.

*

Bu'n bwrw glaw ers ychydig ddiwrnodau ac roedd mwd ym mhob man ac ar grwyn pawb yn y gwersyll. Cerddwn ar unrhyw ddarn o wair neu goncrit y gallwn ei weld er mwyn osgoi'r mwd, heb edrych i fyny. Pan godais fy mhen i weld lle'r oeddwn, gwelais Ali yn cerdded i mewn i gaban bach a chroes arni. Roedd y waliau tu allan wedi eu gorchuddio â darluniau lliwgar a graffiti na ddeallwn ond gallwn weld mai adeilad crefyddol oedd e. Es i mewn ar ei ôl, ond doedd dim golwg ohono. Syllais ar yr allor a'r goleuadau bach sgleiniog o'i chwmpas.

"Paid â gadael i mi amharu arnat ti," meddai llais y tu ôl i mi. Roedd dyn ifanc yno, yn gwisgo mwclis hir a chroes ar ei gwaelod.

"Chwilio am fy mrawd ro'n i – ydych chi wedi gweld Ali?"

"Mae e newydd adael…" oedodd, heb orffen y frawddeg.

Edrychais ar yr allor eto a'r goleuadau disglair yn tasgu ar waliau'r caban bach. Doeddwn i ddim yn gwybod bod rhywbeth mor brydferth mewn lle fel hyn. "Hoffet ti gynnau cannwyll? Dros rywun rwyt ti wedi ei golli?"

"Ga i gynnau cannwyll dros Mam?"

Esboniais ein bod yn gadael i fynd i Brydain mewn ychydig oriau.

"I Brydain? Roeddwn i'n meddwl nad oedden nhw'n cymryd plant hyd yn oed bellach."

"Wel, bydd lloches i ni ym Mhrydain, yn ôl Jibrin."

"Be sy'n digwydd fan hyn?" Llais Jibrin yn taranu tu ôl i mi. "Be ti'n neud i hon? Paid cyffwrdd ynddi, ti'n deall?"

"Na, Jibrin, mae popeth yn iawn," taerais ag ef.

"Ti'n methu trystio neb, Yara. Tyrd!"

Rhuthrais allan o'r caban ar ei ôl. Protestiais wrth Jibrin am godi cywilydd arna i fel yna, ond roedd ei feddwl ymhell erbyn i'r awel fain daro ei wyneb unwaith eto.

*

Arhosai'r ugain ohonom am gyfarwyddyd Jibrin. Doedd yr un ohonom yn torri gair yn y tywyllwch. Fe'n tywyswyd allan o'r gwersyll tuag at lori enfawr, fel carcharorion yn dianc. Aeth Ali a Jibrin i mewn i archwilio'r lori. Byddai'n rhaid i ni guddio rhwng y cargo. Gallai'r bocsys enfawr lithro a gwasgu rhai o'r plant yn slwtsh. Roedd Jibrin wedi anghofio rhywbeth yn ôl yn y gwersyll, a rhywbeth pwysig mae'n siŵr oherwydd rhegodd wrth redeg i mewn i'r nos.

Galwodd Ali arnaf i ddod allan o'r lori.

"Be sy?" meddwn.

"Yara, nawr yw'r amser i adael, cyn i Jibrin ddod yn ôl."

"Be? Pam?"

"Jyst dere."

"Ond ry'n ni'n mynd i Brydain."

"Ydych... ond ma Jibrin yn mynd i'ch gwerthu chi unwaith fyddwch chi yno. Fe fyddi di'n gaeth, Yara, a bydd hen ddynion yn dy dreisio di bob dydd mewn meysydd parcio. Ma rhaid i ni fynd nawr."

"Ond beth am Avine? A'r lleill?"

"Jyst dere, sdim dewis..."

Roedd y lori'n llawn ac yn barod i fynd: pedair merch 14 oed, dwy o Affganistan a dwy o Syria, dwy ferch 16 oed, tair merch 17 oed o Libya, pedwar bachgen 13 oed o Syria, dwy ferch 9 oed, dau fachgen 12 oed o Nigeria, merch 12 oed a dau fachgen 13 oed o Eritrea, Avine a fi. Gallwn eu teimlo nhw'n syllu arna i o gefn y lori.

"Dere!"

"Hei, be ti'n neud, Ali?" Roedd Jibrin yn ôl. "Ro'n i'n gwybod dy fod ti'n mynd i wneud rhywbeth fel hyn!"

"Fy chwaer i yw hi, Jibrin. Be ti'n disgwyl i fi wneud?"

"Ddwedes i wrthot ti y byddwn i'n ei gwarchod hi."

"Dwi ddim yn dy drystio di."

"Gwranda, mêt, rwyt ti yng nghanol y busnes yma gymaint ag ydw i."

"Dwi'm eisiau bod yn rhan o'r peth – jyst gad i ni fynd... neu difaru fyddi di, Jibrin."

"Paid â gwneud i fi chwerthin, y Jihadi bach. Mae pobl dy ofn di lot mwy na maen nhw fy ofn i. Ti yw'r teip sy'n saethu pobl yn eu dinasoedd nhw. Dydyn nhw ddim yn becso be sy'n digwydd i blant o ryw wlad bell mewn lori."

Estynnodd Jibrin wn o'i boced a'i bwyntio at Ali. "Cer i'r lori, Yara."

Cerddais yn ôl i mewn i'r lori yn ufudd i achub Ali. Ond taniodd Jibrin y gŵn. Chwistrellodd gwaed Ali drwy'r awyr a disgyn ar ddrysau'r lori. Caeodd drysau'r lori'n glep a boddi fy sgrech.

Fedrwn i ddim anadlu'n iawn. Cydiodd Avine ynof wrth i fi riddfan.

Dechreuodd y plant eraill guro ar waliau'r lori. Roedd y twrw mor uchel fel na sylwon ni ar y lori'n stopio ychydig funudau wedyn. Tawodd yr udo wrth i'r drysau agor eto.

Pwy agorodd y drysau ond y dyn a siaradais ag ef yn y caban bach. Disgleiriai golau car y tu ôl iddo. Edrychai fel angel. Gwenodd arna i. Roedd Ali wedi trefnu dihangfa i bawb wedi'r cyfan.

Diwrnod Drwg

Cynan Llwyd

'All it takes is one bad day to reduce the sanest man alive to lunacy.
That's how far the world is from where I am. Just one bad day.'

The Joker – *The Killing Joke*

I E, FI OEDD yn gyrru.
Dwi ddim yn yrrwr gwych, dwi'n cyfaddef, yn enwedig o
dan yr amgylchiadau. Cwch oedd ei angen y diwrnod hwnnw.
Eisteddai hi wrth fy ymyl yn sedd y teithiwr, yn darllen ei llyfr,
nofel graffig *The Killing Joke* gan Moore. Rydyn ni'n dau wrth ein
boddau yn darllen.

Esgusodwch fi, ond dydy Batman ddim yn blentynnaidd.

Doedd fawr o sgwrs rhyngon ni yn y car ond doedd hynny ddim
yn broblem. Dwi'n cofio gofyn oedd hi'n iawn ac fe nodiodd heb
godi ei thrwyn o'r llyfr. Roedden ni'n dau'n hapus. Roedd gen i
fymryn o ben tost ond doedd hynny ddim yn syndod. Dwi'n un
sy'n dioddef o bennau tost.

"Paid cnoi dy ewinedd," meddai.

Ro'n i ar fin protestio cyn sylwi bod fy mys wedi ei blannu'n ddwfn yn fy ngheg a hwnnw'n rhoi blas metelaidd gwaed. A dweud y gwir, mae'n flas digon braf.

Disgynnai'r glaw ar y ffenest yn fil o forthwylion mân yn taro'r hoelion i fewn i 'mhen. Tap tap, tap tap, tap tap. Y tu allan i'r ffenest, y tu hwnt i'r dilyw llwyd, rhedai milltiroedd o goed tywyll ras â ni.

Mae cofio'n boenus. Yn enwedig nawr...

Mae atgofion yn fwystfilod bach ffiaidd ac atgas. Dwi'n cofio chwarae mewn hen goedwig pan oeddwn i'n blentyn, yn adeiladu den gyda'm cefndryd. Yna eistedd yn ei gysgod gwyrdd gan gredu na ddeuai unrhyw ddrwg i ni yno, a'n bod ni'n anweledig i oedolion. Credem y gallem fyw yno byth bythoedd, gan adeiladu tân bob bore, casglu mwyar, hela cnau ac ymolchi yn nŵr y llyn.

Wrthi'n ddyfal yn casglu coed tân oedden ni, a dyma fi'n gafael mewn darn trwchus o foncyff, hyd at hanner maint fy mraich ddeng mlwydd oed. Teimlai'n drwm yn fy llaw a chofiaf deimlo rhyw bŵer anghyfarwydd yn ymledu o'r pren, i fyny trwy gyhyrau a nerfau fy mraich nes iddo fy ngwefreiddio'n gyfan gwbl. Fel petawn i mewn breuddwyd, camais ar flaenau fy nhraed ar hyd carped gwyrdd y goedwig. Ni welodd ac ni chlywodd fy nghefnder fi'n dod, nes i'r boncyff waldio cefn ei ben gan beri i'w goesau blygu oddi tano fel diwedd gêm o Jenga. Erbyn i'n rhieni gyrraedd roedd deiliach gwyrdd yr haf yn debycach i ddail coch yr hydref, a sgrechiadau fy nghefnder fel mochyn yn cael ei ladd.

Na, fedra i ddim egluro pam y gwnes i'r fath beth. Dim rŵan.

Dim ar y pryd. Sut y gallai bachgen bach deng mlwydd oed egluro'r fath beth? Beth oedd y rheswm? Oes angen rheswm? Doedd dim modd esbonio popeth.

Ond mae'r arogl wedi aros yn y cof. Yr arogl yna sy'n llosgi eich ffroenau nes codi cyfog. Glaw, pridd a choed pin pydredig yn gymysgedd chwerw-felys yn llenwi'r goedwig. Dim ond ym mherfeddion hen hen goedwig sydd wedi gweld erchyllterau a drychiolaethau y mae'r arogl hwnnw'n bodoli.

*

Y diwrnod hwnnw, a minnau'n gyrru drwy'r coed, ni allwn anghofio'r olygfa honno. A sŵn y griddfan yn atseinio yn fy mhen. Fy mhen tost cythreulig.

Ystyriais agor y ffenest er mwyn arogli'r coed. Penderfynais beidio, rhag ofn.

Roedd y ffordd yn gul ac yn droellog.

Roedd hi'n ddiwrnod tywyll.

Haf tywyll fuodd hi.

Serch hynny, tywydd braf iawn gawson ni ddeuddydd ynghynt ar ddiwrnod ein priodas. Y dynion yn chwysu'n anesmwyth yn eu siwtiau crand, a'r gwragedd yn poeni am eu colur wrth iddyn nhw bobi yn ffwrn y capel. Y cwrw wedyn yn llifo wrth i wres olaf bysedd hir yr haul fwytho'r gwesteion yng ngardd gefn y gwesty cefn gwlad pan syrthiodd y botel win yn deilchion i'r llawr a'r diferion coch yn gwneud llanast o'r llechi dan draed.

Peth twyllodrus yw'r meddwl. Un eiliad rydych chi'n rhan o

sbloet lliwgar carnifal bywyd ac atgofion plentyndod a'r eiliad nesaf cewch eich arwain i ganol hunllef.

Rhwng y tywyllwch a gwres llychlyd gwresogydd, cefais fy anfon at y caffi ar ochr y ffordd. Erbyn hynny roedd y drymiau yn fy mhen wedi cyrraedd *crescendo* gorfoleddus nes 'mod i eisiau hollti fy mhenglog i ryddhau'r pwysedd.

Y pwysau trwm sydd yn fy mhen, yn poenydio.

Carafán oedd y caffi, a'i thu mewn wedi ei diberfeddu er mwyn llanw'r sgerbwd â chegin fechan ac ambell fwrdd plastig gwyn â choesau cochion. Coch oedd y cadeiriau hefyd ond bod y lliw wedi cael ei sugno allan ohonyn nhw drwy hir ddefnydd a thrais gwynt a glaw.

'The Last Stop: Bacon to die for!' oedd ar yr arwydd a grogai y tu allan.

Roedd agor y drws fel agor drws sawna ond mai mwg sigaréts a saim bacwn oedd y stêm. Digon i fygu rhywun. Afiach. Hunllefus o afiach.

"What you want, bab?"

Acen galed, finiog. Sŵn ffiaidd. Tyllu fy mhenglog, Bab? Babe?

Archebais ddwy rôl facwn. Te. Coffi. Nid "Can a laga?" fel y cynigiodd hi.

Symudais y llestri brwnt o'n bwrdd ni i'r bwrdd drws nesaf ac eistedd. Stici – rhywbeth od, stici ar y bwrdd, a hwnnw'n glynu i lawes fy siwmper.

Dim ond ni'n dau a'r ddynes oedd yno. Fel y bedd. Rhaid i rywun fod ar fin llwgu cyn mentro i rywle fel'na, heb sôn am fwyta yno. Ac mewn tawelwch o'r math yna mae synau bach bob dydd yn synau mawr, yn bwyta'r nerfau. Ffrwtian bacwn; sbarcs saim; Alan Brazil yn murmur malu awyr ar Talk Sport; parablu, parablu difeddwl, diangen, disynnwyr dynes y caffi a ni.

Gair o gyngor gan rywun profiadol. Iawn? Gall pawb, pob un ohonon ni, fod yn styc mewn lle afiach cyn mynd i le gwaeth. Caffi. Ysgol. Siop. Cartref. Griddfan. Poendod. Nerfau ar chwâl. Ewch chi'n wallgo. Unrhyw un, chi, nhw, yn wallgo. Gwallgofrwydd yw allanfa argyfwng. Cofiwch hynny.

Y pellaf roedden ni'n mynd i mewn i'r goedwig, y culaf yr âi'r ffordd a'r lleiaf o geir oedd arni, nes oedd dim ond ceirw'n gwmni, a'r cwningod, y wiwerod a'r draenogod yn gelain.

Wedi cyrraedd o'r diwedd, rhedais fy mysedd ar hyd wyneb carreg y bwthyn. Oer.

Roedd tân trydan dau far yn yr ystafell fyw. Taflai wres anghynnes. Eisteddon ni'n dau heb ddweud gair, a'r tân yn unig olau. Fydden ni ddim yn denu sylw neb yno. Yn ddiogel ar ein pennau ein hunain. Hi a fi a neb arall. Camu dros y rhiniog a chloi'r drws ar atgofion y noson, am un noson. Drws clo – roedd hynny'n beth hyfryd.

Cysgu ar y soffa. Blanced wlân bigog. Tynnu honno'n dynn drosom.

*

Gyrru oedd ein hanes fore trannoeth. Peidiodd y glaw ac yn ei le daeth cawod o enwau o fyd y chwedlau. Loch a'Bhealaich

Leamhain, Allt na h-Eirbhe, Loch Buidhe a'r triawd Loch Nam Breac Dearga, Loch Bad na' Gallaig a Loch An Achaidh Mhoir, cyn cyrraedd Am Blàran Odhar a Bae Torrisdale.

Ar y traeth â ni. Dwylo wedi'u plannu yn ein pocedi, cotiau wedi'u cau a'n hwynebau at y tywod. Anfaddeuol oedd y gwynt. Ac i'r chwith, y môr yn ymestyn at y gorwel.

Mor braf fuasai rhedeg i ganol y tonnau.

I'r dde, twyni tywod yn cysgodi muriau ffermydd, bythynnod ac eglwys. Ond roedd y gwynt yn eu chwipio. Y môr yn ymosod. Tasgodd y gwynt y tywod ataf fel mil o nodwyddau yn pigo fy wyneb. Pigo fy nghydwybod. Anodd dweud. Amhosib clywed dim na meddwl dim yn wyneb nerth y gwynt.

Wrth i ni gyrraedd yn ôl at y car, roedd ein bodiau, ein bysedd, ein trwynau a'n clustiau yn goch-oer. Diolch am wresogydd y car wrth i hwnnw ein cludo'n ôl i dir y byw.

Dyna pryd y gwelson ni'r goleuadau glas, yn y pellter. Roedd y mis mêl ar ben. Dwi'n gwybod beth fydd y cwestiwn nesaf, a na, dwi ddim am ddweud be wnes i â'r corff.

Bacon to die for...

Torri Arferiad

Gwenno Mair Davies

"**W**YT, TI *YN* licio menyn," cadarnhaodd Llŷr yn bendant pan welodd y cylch melyn crynedig yn ymddangos ar groen llyfn Einir.

"Ond dwi ddim. Mae'n gas gen i'r stwff," atebodd hithau, a'i llygaid ynghau wrth iddi groesawu pelydrau'r haul ar ei hwyneb.

"Gwranda. Dydi'r blodyn menyn byth yn deud clwydde," meddai Llŷr yn chwareus gan ddal y blodyn o dan ei gên eto. Thrafferthodd o ddim edrych ar adlewyrchiad llachar y blodyn y tro hwn, oherwydd roedd yn well ganddo graffu'n ofalus ar wyneb Einir, gan roi sylw i bob manylyn arno. Doedd o erioed wedi syllu arni mor fanwl â hyn o'r blaen, nac wedi sylwi pa mor ddel oedd hi mewn gwirionedd. Sylwodd o ddim ar y clystyrau o frychni haul oedd ganddi'n addurno'i bochau a'i thrwyn cyn hyn, nac ar y graith fechan, anweledig bron, uwchben ei llygad chwith.

"Paid â sbio arna i fel'na, Llŷr." Cilwenodd Einir, heb agor ei llygaid o gwbl. Ond parhau i syllu wnaeth Llŷr, gan gosi ei gwddf yn ysgafn gyda'r blodyn menyn.

"Llŷr, stopia! Cer o 'ma, ti'n blocio'r haul."

Roedd Einir yn benderfynol o fanteisio ar y cyfle i gael ychydig o liw ar ei chroen, gan fod yr haul wedi bod mor amharod i adael ei gwmwl ar hyd yr haf, tan heddiw.

Wrth droi oddi wrthi, cymerodd Llŷr anadl ddofn a llenwi ei ysgyfaint â'r awyr iach wrth edrych ar yr olygfa gyfarwydd o'i gwmpas, gan droelli'r blodyn menyn rhwng ei fys a'i fawd. Teimlai mor gyfforddus yma ar fryniau'r ffriddoedd yn edrych i lawr ar y fferm. Gallai weld ei fam wrthi'n brysur yn hongian y dillad glân ar y lein yn yr ardd, ac roedd ei dad yn croesi Cae Rhosyn gyda bag trwm o fwyd defaid ar ei gefn yn barod i borthi'r ddiadell oedd yn ei ddisgwyl yn eiddgar wrth giât y weirglodd. Daeth pwl o euogrwydd drosto am nad oedd o ar y fferm yn helpu ei dad, ond diflannodd yr euogrwydd hwnnw'n ddigon cyflym pan drodd ei olygon yn ôl at Einir. Syllodd arni'n gorwedd yn heddychlon ar wely glas y gwair. Gwelodd hi'n crychu ei thrwyn ac yn estyn llaw i'w gosi, fel cath yn ceisio dal glöyn byw â'i phawen. Gwenodd Llŷr ac edrych ar y blodyn bychan, eiddil yn ei law fawr. Llaw dal rhaw.

"Sbia, mae gen i bresant bach i ti," meddai, ac ar hynny agorodd Einir un llygad mewn chwilfrydedd, i weld Llŷr yn cynnig y blodyn iddi.

"Be? Hwn 'di 'mhresant i?" holodd yn ffug-siomedig, gan godi ar ei heistedd a phwyso'n ôl yn ddiog ar un llaw, a derbyn y blodyn â'r llaw arall gyda hanner gwên ar ei hwyneb.

"Ia, ti'n licio fo?" Closiodd Llŷr ati, cyn ychwanegu'n ddireidus, "Ac mae gan 'hwn' enw."

"Oes, blodyn menyn. Gwreiddiol iawn," meddai Einir yn wawdlyd.

"Blodyn menyn, neu grafanc y frân, dyna fydde Nain yn ei alw. A hwda," meddai wrth estyn am flodyn arall a'i gynnig i Einir cyn ychwanegu, "dyma lygad y dydd i ti i fynd hefo fo. So, paid byth â deud nad wyt ti'n cael blodau gen i!"

Crynodd ffôn symudol Llŷr ar y garthen wrth ymyl Einir. Wrth i Llŷr estyn amdani, cipiodd Einir y ffôn a'i ddal y tu ôl i'w chefn yn gellweirus. Rhoddodd Llŷr ei freichiau amdani ac wedi iddo blannu cusan ysgafn ar ei gwefusau ildiodd hithau a rhoi'r ffôn yn ôl iddo. Roedd Llŷr yn dal i wenu pan atebodd yr alwad, ond buan y diflannodd y wên.

"Beth? Ifan!"

*

Y gwir oedd, doedd Llŷr erioed wedi prynu blodau, nac erioed wedi taro'i droed dros drothwy'r un siop flodau. Dant y llew a chlychau'r gog oedd hyd a lled ei wybodaeth betalaidd. Mab fferm, a'i filltir sgwâr oedd ei fyd. Nid y teip i brynu blodau. Doedd o ddim wedi trafferthu prynu cerdyn pen-blwydd na cherdyn Santes Dwynwen heb sôn am flodau i unrhyw gariad erioed. A phob Sul y Mamau roedd ei fam wedi gorfod bodloni ar gerdyn, neu focs o siocled os oedd hi'n lwcus. Yn sicr, chafodd hi ddim blodau ganddo.

Felly pan gamodd Llŷr i'r jyngl amryliw oedd wedi ei wasgu rhwng pedair wal gyfyng y siop, doedd ganddo ddim syniad lle nac am beth y dylai chwilio. Tan yr eiliad hon, roedd Llŷr wedi tybio'n syml mai casgliad o betalau wedi eu clymu'n ddel gan goesyn hir gwyrdd oedd blodau, a'r rheiny'n tyfu'n wyllt ar gloddiau ac ar berthi allan yn y wlad. Ni freuddwydiodd erioed fod cymaint o amrywiaeth o blanhigion i'w cael.

"Can I help you?"

Bu bron i Llŷr neidio pan glywodd y geiriau'n cael eu hynganu mewn acen Saesneg grand y tu ôl iddo. Trodd i wynebu perchennog y llais gan deimlo'i hun yn gwrido. Safai gwraig gron o'i flaen, ei dwylo'n pwyso'n ddiog ar floneg ei hystlys, a'i thrwyn wedi ei droi tua'r nef. Roedd ei hwyneb fel petai wedi ei beintio i gyd-fynd â'i siop liwgar, gyda phowdr gwyrdd llachar ar ei hamrannau, côt drwchus o fasgara glas, powdr oren ar ei bochau, a'i gwefusau'n bwll coch o liw gwaed. Edrychodd ar Llŷr yn ddrwgdybus dros ei sbectol gron a orweddai'n gam ar ei thrwyn main. Llyncodd Llŷr ei boer, wrth geisio cyfieithu ei ateb o'r Gymraeg i'r iaith fain yn gyflym yn ei ben.

"I am... ym... I need some... ym... no, I mean, I... ym, want to, ym, buy some flowers."

Wedi iddo straffaglu i orffen y frawddeg yn ei Saesneg gorau gwenodd ei wên 'ylwch-annwyl-ydw-i', y wên fu'n achubiaeth iddo rhag ambell gosb yn yr ysgol o ganlyniad i beidio â gwneud ei waith cartref. Gyda'r wên bwerus hon gallai wneud i'r galon galetaf feddalu. Ond nid calon perchennog sarrug y siop flodau, fodd bynnag. Roedd yn syndod nad oedd gwep honno wedi gwywo holl flodau'r siop.

"A!" ebychodd, cyn ychwanegu, "Cymraeg ydach chi, ia, ac eisio prynu blodau. Reit. Carnations? Lilies? Gladiolis? Daliahs?"

Sylwodd y wraig ar wyneb dryslyd Llŷr a sylweddoli na wyddai'r creadur rhyw lawer am flodau.

"Lliw?" Roedd ei chwestiwn unsill yn ddigon i gyfleu nad oedd ganddi ryw lawer o amynedd gyda'i chwsmer anwybodus.

"Rhywbeth heblaw pinc," atebodd Llŷr.

"Achlysur?"

"Pen-blwydd... ym, deunaw oed." Teimlai fel cystadleuydd mewn cwis teledu, yn ofni cael cerydd gan yr Anne Robinson amryliw hon.

"A faint ydych chi'n bwriadu ei wario?"

"Ym, tua deg punt?"

Gwelodd nad oedd wedi rhoi'r ateb a ddisgwyliai ond roedd yn rhaid iddi fodloni ar hynny oherwydd doedd gan Llŷr ddim ceiniog yn fwy.

"Reit, dwi'n meddwl mai *carnations* fyddai orau i chi. Mae'r rheiny'n *cheap and cheerful*." Ac i ffwrdd â hi i gasglu llond llaw o flodau.

Wedi dychwelyd, dywedodd ei bod am ychwanegu ychydig o blanhigion gwyrdd at y tusw er mwyn gwneud iddyn nhw edrych yn fwy deniadol. Galwai'r planhigion hynny'n *foliage* a phenderfynodd Llŷr mai enw crand am chwyn oedd *foliage*.

Cyn pen dim roedd wedi lapio'r blodau mewn papur clir ac wedi estyn llaw i dderbyn y decpunt dyledus am ei thrafferth.

"Gobeithio y gwnân nhw blesio'r ferch lwcus," meddai'n wawdlyd wrth iddi ddal y papur decpunt tuag at y golau a sicrhau bod y frenhines yno i wgu'n ôl arni.

"Bachgen actiwali," cywirodd Llŷr hi'n smala, cyn diflannu drwy'r drws a gadael yr hen surbwch yn crychu ei thrwyn.

Gwenodd Llŷr wrth feddwl sut y byddai gwraig y siop yn dehongli hynny. Ond doedd ganddo'r un gronyn o ots. Doedd o ddim yn debygol o fynd ar gyfyl ei siop byth eto. Y tro nesaf y byddai arno angen prynu blodau byddai'n well ganddo yrru ychydig o filltiroedd yn bellach yn hytrach na rhoi pres ym mhoced y snob yna eto. O leiaf byddai'n gwybod beth oedd enw'r blodau y tro nesaf – *carnations*. Gallai gofio hynny'n hawdd gan ei fod yn hoff o Carnation Milk dros ei bwdin.

Fedrai o ddim beio'r jolpen yn y siop am ddod i'r casgliad ei fod yn hoyw oherwydd, wedi'r cwbl, anaml y bydd bachgen yn prynu blodau i'w ffrind ar achlysur ei ben-blwydd. Wrth yrru'r siwrnai fer i ddanfon ei anrheg, ceisiodd ddychmygu beth fyddai ymateb Ifan wrth gael blodau fel anrheg.

"Beth ddaeth drostat ti, Llŷr? Wyt ti'n troi'n sofft neu be? Be ddiawl wna i efo bwnsh o flode, d'wed? Ti'n fy nabod i'n well na hynna, siawns!"

Rhywbeth tebyg i hynna fasai ei eiriau. Oedd, roedd Llŷr yn adnabod ei ffrind gorau'n well na hynny.

Ond eleni, yn wahanol i'r arfer, tusw o flodau fyddai Ifan yn ei gael ganddo ar ddiwrnod ei ben-blwydd. Pan gyrhaeddodd, eisteddodd yn y maes parcio a syllu'n fud ar y blodau ar sedd y teithiwr. Gwridodd ryw fymryn wrth feddwl am hurtrwydd y sefyllfa. Estynnodd feiro a'r cerdyn plaen a roddodd ei fam iddo. Bu wrthi'n ddyfal am rai munudau'n ceisio meddwl am neges i'w hysgrifennu. Fu Llŷr erioed yn un da efo geiriau.

Penderfynodd ar neges a'i hysgrifennu yn ei lawysgrifen orau. Cydiodd yn y blodau a'r cerdyn, a gwydryn peint gwag, gadael y car a cherdded ar hyd y llwybr. Wrth nesáu at Ifan gallai deimlo cryndod yn ei gerddediad. Roedd anesmwythyd yn gorwedd yn ddwfn yn ei berfeddion, rhyw deimlad annifyr na fyddai'n arfer ei deimlo yng nghwmni Ifan.

Rhoddodd y blodau i sefyll yn y gwydryn peint, a'u sodro yn y ddaear feddal, yng nghanol môr o flodau eraill a alarai'n ddigalon ar lan y bedd. Cyn gosod y cerdyn yn ofalus, cymerodd un cipolwg arall arno trwy'r dagrau.

I Ifan,

Sori am y blodau. Ddim yn gwybod be arall i'w gael.

Gyda hiraeth mawr amdanat ti.

Llŷr

Terfysgwr

Dylan Iorwerth

D OEDD O DDIM wedi disgwyl i'r ffôn poced ganu. Doedd o
ddim wedi meddwl ei ddiffodd. Wedi cynllunio popeth arall
yn fanwl ofalus, ond wedi anghofio'n llwyr am y ffôn. Twp, diofal.
Maen nhw'n eich rhybuddio chi i ddiffodd pob ffôn mewn theatr
neu sinema ond does neb yn meddwl eich atgoffa pan fyddwch
chi'n barod i danio bom.

Estynnodd, heb edrych, am ei boced ucha a theimlo'r botymau
cyfarwydd a'u gwasgu fesul un. Roedd o wedi'i ddiffodd rŵan. Mi
fyddai'n wallgo iddo ateb: mi allai galwad felly gael ei holrhain
yn syth ac arwain y trywydd ato. Ond eto, fel efo pob ffôn erioed,
beth bynnag yr amgylchiadau, roedd yna ysfa i'w ateb. Tybed a
allai galwad ffôn amharu ar y signal radio neu hyd yn oed achosi'r
ffrwydrad? Dim ond llithro i mewn i'w feddwl ac allan wedyn a
wnaeth y syniad, wrth iddo godi'r sbienddrych bach at ei lygaid
unwaith eto.

Roedd yna rywfaint o symud o amgylch drws yr orsaf ond roedd
hi'n anodd dweud ai pobl gyffredin oedd yn mynd a dod neu a
oedd Barzali ar fin cyrraedd. Mi ddaliodd i edrych am funud neu

ddau cyn penderfynu ei bod hi'n rhy gynnar i bethau ddechrau digwydd. Pum munud o leia, falle ddeg.

Roedd hi'n rhyfedd pa mor dawel oedd ei feddwl o. Fel yr eiliadau yna cyn damwain car pan fydd popeth wedi ei rewi a'r ymennydd yn anarferol o glir... pob symudiad yn cymryd hydoedd a chithau bron yn eich gweld eich hun o'r tu allan yn meddwl ac yn gweithredu. Mi ddylai fod yn crynu ar ôl cymaint o amser yn aros am y cyfle, ond doedd o ddim.

Doedd o ddim yn teimlo unrhyw gasineb chwaith. Roedd hynny'n rhyfedd hefyd. Doedd yna ddim emosiwn, dim ond bwriad. O feddwl, efallai nad oedd o'n rhyfedd. Ar ôl deunaw mis mae hyd yn oed cynllunio i ladd yn mynd yn ffordd o fyw. Dim ond gorffen pethau oedd eisiau bellach.

Mi fyddai trên Barzali yn cyrraedd am un ar ddeg y bore. Roedd o wedi gadael y ddinas i'r funud. Dyna oedd yr alwad ddiwetha ar y ffôn bach, i ddweud bod popeth yn digwydd yn union yn ôl y disgwyl. Ar ôl honno yr oedd o wedi anghofio diffodd. Hollol wirion. Ond roedd popeth yn iawn unwaith eto.

Mi ddylai fod wrth ei fodd. Yn nerfus, ond wrth ei fodd. Roedd o ar fin cael gwared ar ddyn oedd yn chwarae mig efo llywodraethau'r Gorllewin ers pum mlynedd a mwy, ar fin lladd dyn oedd wedi llofruddio cannoedd trwy ei rwydwaith o derfysgwyr. Roedd yna eraill yn y cynllwyn, wrth gwrs, ond y fo oedd yn tanio'r bom, yn anfon y neges radio.

Trwy'r sbienddrych eto mi allai weld un neu ddau o swyddogion yn symud yn bwysig ar y platfform, yn paratoi am ddyfodiad trên. Dim ond tri neu bedwar oedd yn dod i'r dref anghysbell yma bob dydd, a dim ond un o'r ddinas. Peth rhyfedd nad oedd Barzali ei hun wedi meddwl am hynny, a gweld bod y daith yn beryg.

Mi ddylai fod yn gorfoleddu. Nid fod lluniau o derfysg yn cael llawer o effaith arno, na mamau'n rhincian dannedd o flaen camerâu teledu. Roedd pawb wedi'u gweld nhw'n rhy aml iddyn nhw siglo fawr neb bellach. Roedd pobl yn cael eu dychryn, oedden, ond dim ond fel y dychryn mewn ffilm arswyd neu stori antur. Ac yntau ar ôl blynyddoedd o weld y lluniau a'r digwyddiadau yn y cnawd – yn y cnawd coch, gwaedlyd, seimllyd, drewllyd, hyll – nid dyna oedd yn ei yrru.

Erbyn hyn, roedd yna symud mawr ar y platfform ac un neu ddau o ddynion arfog wedi ymddangos yn sydyn o rywle. Nid milwyr, ond cefnogwyr Barzali, yn symud pobl yn ôl yn ddigon brwnt, gan wthio ambell hen wraig o'r neilltu. Hyd yn oed o'r pellter hwnnw, roedd hi'n bosib gweld y bygythiad a'r trahauster yn eu hystumiau. Symud yn ufudd wnaeth pawb, wedi hen arfer cael eu gwthio gan y naill ochr neu'r llall, fel broc môr ar frig llanw. Wedyn edrych yn fwy eiddgar, neu bryderus, nag arfer i gyfeiriad y trên. Dyna'r adwaith i drên ym mhob man – disgwylgarwch neu ofn.

Anna oedd y prif reswm dros deimlo'n orfoleddus. Ond fedrai o ddim fforddio'r emosiwn hwnnw hyd yn oed. Efallai nad oedd yn teimlo dim am hynny chwaith erbyn hyn mewn gwirionedd, fel poen sy'n hen gyfarwydd. Dim ond ar ôl hyn, ar ôl iddi ddod yn rhydd a dod gartre'n iawn eto y byddai'n sylweddoli cymaint yr oedd wedi brifo.

Hyd yn oed cyn ei weld, roedd yn gwybod bod y trên ar fin

cyrraedd. Hyd yn oed cyn i neb arall ei weld, roedd y bobl ar y platfform hefyd yn gwybod ei fod yn dod. Peth rhyfedd ydi hynny, fel anifeiliaid yn synhwyro storm, mae yna rywbeth yn newid yn y gwynt neu ansawdd yr awyr. Rhyw sŵn na fedrwch chi ei glywed, fel gwybod bod ffôn am ganu yr eiliad cyn iddo wneud. Ac mi ddaeth, yn llyfn o amgylch y tro ac aros yn esmwyth wrth y platfform, fel unrhyw drên arall diniwed. O'i weld, felly, fyddech chi'n breuddwydio dim fod rhywun fel Barzali arno.

Fyddai pethau ddim yn hawdd. Dyn a ŵyr sut y byddai Anna'n ymateb yn union wedyn. Mi fyddai'n cymryd wythnosau, misoedd, blynyddoedd falle cyn i bopeth ddod yn ôl i'w le. Ond, o leia, wedi hyn i gyd, mi fyddai ganddo'r amser i'w roi i helpu. Ac arian i wneud pethau'n haws.

Dim ond un neu ddau o'r drysau tua cefn y trên a agorodd i ddechrau ac yn gomig bron mi stryffaglodd rhai o'r bobl leol allan. Yr hen ddyn efo'i fag a'i gadair draeth yn ffoadur o fyd arall; hen wraig yn ei du. Un fam a phlentyn, a'i sgarff wedi'i chlymu'n dynn o amgylch ei phen. Doedd dim disgwyl i Barzali ddod allan, na neb o'i ddynion chwaith ond mi fu raid iddo aros am dipyn cyn gweld Idram yn camu o un o'r cerbydau tua'r blaen, yn arwydd fod y cynllwyn yn gweithio.

Diolch byth, fyddai Anna'n gwybod dim mai fo oedd wedi lladd Barzali. Hyd yn oed rŵan, ar ôl gwybod beth oedd yr Arweinydd yn ei wneud, roedd hi'n dal i hanner ei addoli. Anna druan. Fyddai hi ddim yn gwybod mai hi oedd wedi rhoi'r manylion allweddol. Wedi creu'r cyfle, gosod y targed, heb yn wybod.

Mynd am y ffordd allan wnaeth Idram, yn ôl y drefn, heb

edrych i'w gyfeiriad na rhoi unrhyw amnaid. Dyna'r unig ffordd. Mi fyddai wedi gadael y dref o fewn ychydig funudau, heb aros i wybod a wnaeth y llofruddiaeth weithio. Efallai y byddai'n clywed sŵn ffrwydriad yn y pellter, ond fyddai Idram yn cymryd dim sylw nac yn holi neb na dim nes cyrraedd yn ôl i'r ddinas ac efallai wylio'r newyddion ar sgrin deledu mewn bar yn rhywle ac esgus bod y cyfan yn syndod.

Beth oedd Anna'n ei wneud rŵan tybed? Byddai'n ei ffonio ar ôl y weithred. Efallai y dylai deimlo'n euog am ddefnyddio'i ferch, a'i thwyllo, ond dyna'i waith, a dyna'r ffordd i'w hachub hithau.

Dim ond am bum munud yr oedd y trên i fod i aros yn yr orsaf. Doedd neb yn cael mynd arno. Er gwaetha'u hanner-protestio gwangalon, roedd y teithwyr lleol yn cael eu gwthio'n ôl a holl ddrysau'r cerbydau wedi'u cau'n glep unwaith eto.

Doedd Anna ddim yn gwybod ei fod ar drywydd Barzali, na hyd yn oed ei fod yn gweithio ers tro i'r Lluoedd Diogelwch. Rhyw waith diafael fu ganddo erioed, yn prynu a gwerthu a gwneud ambell ddêl amheus; doedd esbonio'i symudiadau ddim yn anodd, hyd yn oed pan fyddai hi'n gofyn. A doedd pobl leol ddim wedi amau gormod pan ddaeth yn ddieithryn i'w canol ac actio'r meddwyn di-ddal yn byw ar hen arian ei deulu. Y ffordd orau o guddio bob tro yw bodloni disgwyliadau pobl.

Ar ben y pum munud, mi fyddai'r trên yn dechrau tynnu i fyny'r rhiw raddol o'r orsaf a rhwng y tai shanti ar ymyl y lein. Mi fyddai'r cerbydau'n crynu'n hegar ddwy waith wrth yrru dros reiliau anwastad; roedd wedi gweld dwsinau o drenau'n gwneud yr un peth yn ystod ei wythnosau o wylio. Mi fyddai ganddo yntau chwe munud a hanner wedyn cyn anfon y neges radio.

Roedd yna deimlad ar y dechrau wrth gwrs. Siom, dicter, ffyrnigrwydd. Pan welodd Anna'n llithro o'i afael ac yn dod dan ddylanwad Barzali. Trwyddo fo yr oedd y ddau wedi cwrdd, yn y dyddiau pan lwyddodd i fynd yn agos at y dyn ei hun. Roedd o wedi trio'i rhybuddio hi wedyn, heb allu dweud yn agored pam. Rŵan, roedd yr eironi'n dyblu, a Barzali, trwy Anna, ar y trên i uffern.

Y sgytiad cynta – pedwar munud a thri chwarter cyn y byddai'r trên yn pasio dros y bont, gerllaw gweddillion yr hen ffatri. Bron na fedrai eisoes ddychmygu'r distiau mawr dur yn sigo'n sydyn a'r cerbydau'n diferu fesul un i'r afon. Mi fyddai yntau ar ei ffordd erbyn hynny, yn dilyn y lonydd cefn yn ôl i'r hen ffermdy oedd yn gartref iddo ers dechrau'r deunaw mis.

Ddeallodd o erioed y iawn sut y cafodd Anna'i thynnu i gredu yn yr Achos. Neu o leia i gredu ei bod hi'n credu. I rywun fel fo, yn edrych o'r tu allan, roedd y cyfan yn amlwg yn ddieflig. Roedd o'n dal i gofio'r arswyd yn codi drosto wrth sylweddoli bod Anna wedi'i dal, fel degau o bobl ifanc eraill. Anna. Mi ddylai hi wybod yn well.

Yr ail sgytiad. Tri munud ac ugain eiliad. Mi fyddai yna rai pobl ddiniwed yn marw, wrth gwrs, ond doedd dim help am hynny. Mi fyddai Barzali wedi mynd ac, efo fo, ei fudiad. Am gyfnod, roedd hi wedi siwtio'r awdurdodau i'w swcro fo ond, fel erioed, mi drodd yr anifail anwes yn fwystfil.

Doedd Anna ddim yn gwybod ei fod o'n gwybod. Roedd

hi'n dal i drio esgus mai gweithio i ddyn busnes yr oedd hi, yn gynorthwyydd personol... ond roedd hi'n un wael am dwyllo. Roedd rhaid iddo yntau adael iddi gredu ei bod hi'n llwyddo ac nad oedd o'n sylweddoli ei bod hi'n agos at Barzali. Pa mor agos? Doedd arno fo ddim eisiau gwybod.

Pen y rhiw. Ychydig dros ddau funud. Ond roedd popeth yn ei le. Dim ond gwylio oedd eisiau, ac aros am yr union eiliad. Yn y pedwerydd cerbyd yr oedd Barzali a'i ddynion. Dyna'r ddealltwriaeth, ac mi fyddai Idram wedi dangos pe bai pethau wedi newid. Gadael i'r trydydd cerbyd basio dros y ffrwydryn cynta ac yna mynd amdani.

Yn y ddinas yr oedd Anna, siŵr o fod. Dyna'i chynllun hi pan ddatgelodd hi'r wybodaeth allweddol. Mi fyddai ganddi ddeuddydd neu dri yn rhydd, meddai wrtho; roedd y bòs yn mynd i'r wlad. Dyna biti na fedrai o ddod i lawr i'w gweld hi, meddai yntau, ond roedd ganddo fo bethau i'w gwneud.

Erbyn hyn, mae'n siŵr fod y gyrrwr yn gallu gweld y bont, yn codi'n sgerbwd dur uwchben blerwch yr adeiladau. Efallai fod ganddo wraig. Efallai fod ganddo ferch, a oedd ar fin bod yn amddifad.

Pan ddywedodd Anna am y daith, roedd rhaid ymddangos yn ddi-hid, fel petai'r wybodaeth o fawr ddim diddordeb iddo. Ond roedd y siom o fethu â chwrdd yn siom o ddifri; anaml yr oedden nhw'n gweld ei gilydd yn iawn bellach ac roedd y twyll o'r ddwy ochr wedi creu rhwystr rhyngddyn nhw.

Munud cyfan i fynd. A dyna pryd y meddyliodd eto am y ffôn. Tybed pwy oedd wedi galw?

Roedd y peth yn hollol wallgo ac eto, rywsut, yn hollol resymegol. Roedd rhaid gwybod pwy. A'i lygaid yn dal ar y trên, mi symudodd ei law yn ara i'r boced dop a theimlo'r peiriant bach yn llithro i gledr ei law chwith. Pwyso'r botymau heb edrych, a'i law dde erbyn hynny yn cyffwrdd yn ysgafn yn y trosglwyddydd radio.

"Un neges. Pwyswch un i'w dderbyn."

"Helô, Dad. Mi fedrwn ni gwrdd wedi'r cyfan. Newid cynlluniau. Dwi'n dod i'r wlad efo'r bòs. Wela i chi yn hwyrach heno."

Yr Wy

Caryl Lewis

ROEDD HI WEDI dechrau tywyllu'n gynnar a mis Hydref yn rhydu'n araf dros y cwm. Byddai'r dail yn gadael ôl eu dwylo ar lechen lydan stepen yr hen ffermdy wedi iddyn nhw bydru. Canmolodd y bachgen y ci defaid ifanc wrth ei ochr a fownsiai fel pêl o'i gwmpas. Camodd dros y llechen a thynnu'r drws ar ei ôl a sefyll am eiliad wrth weld ei dad yn tynnu'r calendr oddi ar yr hoelen ar y wal. Aeth i eistedd ar y bocs pren o flaen y tân gwanllyd. Wnaeth ei dad fawr o sylw ohono.

"Mi naethon nhw dynnu'n llunie ni heddiw," cynigiodd y bachgen gan symud ei bwysau'n ansicr. Fe gydiodd ei drowsus byr yn wyneb garw'r pren. Nodiodd ei dad yn dawel heb dynnu ei lygaid oddi ar y calendr yn ei ddwylo.

"Mi gei di wy rŵan," meddai yntau o'r diwedd, "wedyn byddai'n well i ti fynd draw at Modryb Jên rhag i ti fod o dan draed."

Edrychodd y bachgen ar y llawr a gwrando ar y fflamau'n cerdded ar hyd y coed gwlyb yn y lle tân. Roedd y mwg yn cydio yng ngwlanen ei siwmper.

Trwy ffenest y wal drwchus gellid gweld bod y caeau'n wag a megin y gwynt wedi cochi'r rhedyn. Doedd dim goleuadau i'w gweld o gwbwl yn y pentref. Cerddodd ei dad i'r llaethdy a chydio mewn wy o'r blwch cardbord.

Teimlai ei lyfnder yn ei fysedd. Roedd yr ieir wedi cael eu symud gyda gweddill y stoc ac ni allai ond rhyfeddu wrth weld pa mor lân oedd wy siop. Suddodd y sosban fach i mewn i fwced o ddŵr a gollwng yr wy i mewn iddi'n ofalus. Cariodd hi at y lle tân a'i gosod ar y fflamau.

"Wyt ti'n meddwl bod digon o nerth ar ôl yn hwn i ferwi'r wy 'ma, dwed?"

Gwyliodd y bachgen olau gwan y tân yn byseddu wyneb ei dad. Câi'r cyfle i astudio ei wyneb fel y mynnai y diwrnodau hyn, gan na fyddai yntau'n troi ei olygon yn ôl ato ryw lawer bellach. Tanlinellai'r golau y llinellau bach roedd y gwynt wedi eu naddu ar wyneb ei dad. Roedd pob rhych yn nant a phob llwybr yng nghroen ei wddf wedi ei droedio'n ddwfn. Fel y rhedyn, roedd y gwynt wedi cochi ei fochau a'i lygaid oer y dyddiau hyn fel cerrig gwlyb y nant. Edrychodd y bachgen am yn hir ar ei ddwylo.

Dechreuodd swigod ffurfio yng ngwaelod y sosban a sŵn y dŵr yn symud i'w glywed. Tasgai ambell ddafn yn glir o'r sosban cyn sychu'n swnllyd ar y marwor. Wrth ferwi'n braf dechreuodd yr wy ysgwyd a'r ddau yno'n gwrando ar y sŵn cysurus wrth iddi dywyllu y tu allan.

Gwenodd y bachgen ar ei dad.

Cododd hwnnw a mynd i chwilio am lwy. Roedd eu heiddo wedi ei bacio ers wythnos a rhoddwyd y pethau olaf a lechai ar hyd y lle mewn bocsys pren. Bellach roedd sgwariau tywyll ar y papur wal lle bu'r lluniau yn hongian a chan fod y celfi wedi eu symud roedd hi'n bosib gweld ôl y crafu ar y llawr. Edrychodd y bachgen ar yr hen lwybrau ar y leino, yn fudur wyn lle bu troedio dros y blynyddoedd. Byddai'r tŷ newydd yn y Bala'n llawn o lwybrau rhywrai eraill.

Daeth ei dad yn ôl â llwy er mwyn codi'r wy i'r wyneb. Roedd ei fam wedi dweud wrtho droeon fod wy yn barod pan fyddai ei blisgyn yn sychu'n syth ar ôl ei dynnu o'r dŵr. Dwedodd hi hynny wrtho wedi iddo gwympo i mewn i'r nant pan oedd yn fychan a hithau'n gorfod ei roi yn y badell sinc o flaen y tân i'w gynhesu. Rhwbiodd ei wallt â thywel caled bryd hynny a pharatôdd wy wedi'i ferwi iddo i'w fwyta tra oedd ei ddillad gwlyb yn sychu ger y tân.

Cododd ei dad a chwilota mewn bocs agored o dan y bwrdd. Cydiodd mewn hances a chlwstwr o flodau lafant wedi eu gwnïo yn ei gornel. Teimlodd y defnydd tenau yn ei fysedd am eiliad cyn lapio'r wy cynnes ynddo ac estyn y pecyn i'r bachgen.

"Dos rŵan, mi gadwith o dy ddwylo di'n gynnes tan i ti gyrraedd, ac mi gei di de a brechdan gan Modryb Jên at dy swper."

Oedodd y bachgen ac edrych i'w lygaid.

"Paid â bod yn hen fabi rŵan… Dos."

Tynnodd y drws yn glep ar ei ôl a gwthiodd yr wy i berfeddion ei boced. Roedd hi bron fel y fagddu ond sylwodd fod y sêr yn dechrau tyllu trwy'r gwyll. Safodd ac edrych arnyn nhw am eiliad yn smotiau arian fel bol brithyll mewn dŵr dwfn. Teimlodd drwyn oer yn ei law a gwên lawen wrth ei ochr.

"Dos!"

Cerddodd i gyfeiriad y ffordd. Dilynodd y ci ei goesau.

"Dos 'nôl, y ci!" Edrychodd y ci arno mewn syndod a sefyll. "Dos adre, y diawl!"

Camodd y ci yn ôl, gan siglo'i gynffon mewn cwestiwn. Plygodd y bachgen a gwasgu ei fys o dan gornel carreg ar y ffordd er mwyn ei disodli. Taflodd hi at y ci a chau ei lygaid wrth i'w udo lenwi'r ffordd. Dechreuodd y dagrau bigo'i lygaid.

Cerddodd allan i'r ffordd fawr a dilynodd y clawdd wrth i'r lleuad ddechrau goleuo'i lwybr. Doedd dim byd i'w glywed heblaw'r gwynt yn goglais y cloddiau weithiau a sŵn ei esgidiau trymion yn taro'r ffordd. Roedd y cwm yn agored o'i gwmpas a'r llwybr yn hen gyfarwydd iddo. Roedd ei fochau'n oeri. Tynnodd ei law gynnes oddi ar yr wy a'i gwasgu'n dynn ar ei wyneb.

Yn y cloddiau roedd ewyn gwyn blodau'r ysgawen wedi hen droi'n ddyrneidiau o eirin tywyll ac roedd yna glymau pigog o fwyar duon yn cleisio'n ddu ar hyd y clawdd. Clywodd sŵn ci'n cyfarth yn y pellter a theimlai ofn yn crynhoi. Pan fyddai'n un bach, y dydd heb olau fyddai'r nos iddo. Ond erbyn hyn, ac yntau ychydig yn hŷn, roedd pethau'n wahanol wrth i fwganod ddechrau codi'u pennau yn y cloddiau. Ceisiodd ganolbwyntio ar ei gamau a gwthiodd yr wy cynnes i fyny un llawes a'i ddilyn yn ofalus â'i law arall. Roedd y lleuad a'r gwynt yn cryfhau. Dechreuodd ei galon guro'n drymach. Doedd dim sôn am neb ar y ffordd – hyd yn oed wrth agosáu at y pentref. Ceisiodd gysuro'i hun y byddai yng nghegin ei fodryb cyn pen dim. Roedd ei bengliniau'n oer.

Câi'r dail eu chwythu ar hyd ei lwybr a byseddai'r awel ysgafn ei wallt. Arafodd ei gamau. Roedd y capel yn y pellter ac wrth ei ymyl y fynwent a'i wal o gerrig. Byddai rhai plant yn croesi i ochr draw'r ffordd wrth gerdded heibio iddi yn y nos. Ond nid fe. Gafaelodd yn dynnach am yr wy cynnes. Roedd y lleuad yn goleuo'r cerrig beddi a'r rheiny gefngefn fel petaen nhw'n dibynnu ar ei gilydd. Toddai sŵn ei gamau yn un â'r tawelwch. Erbyn hyn roedd yr wy yn dechrau oeri.

Yn erbyn wal y fynwent pwysai rhaw. Safodd yn stond ac edrych i'r tywyllwch. Cerddodd ymlaen unwaith eto. Stopiodd. Yno, ar wal y fynwent, roedd hen goedach. Teimlai ei lygaid yn dyfrhau. Roedd y beddau'n agored a'r clwyfau gwag yn cael eu llenwi â golau'r lleuad. Edrychodd, a'i lygaid yn lledu. Safodd, ac oerfel y nos yn llenwi ei ysgyfaint. Dechreuodd dagrau aflonyddu ei ruddiau. Roedd yno resi o dyllau tywyll. Pob un yr un maint â pherson. Trodd i edrych y tu ôl iddo ac yna ymlaen ar hyd y ffordd. Doedd neb yno. Roedd ei draed wedi eu sodro yn yr unfan. Disgleiriai'r sêr yn sbeitlyd. Dechreuodd grio gan ddal ei anadl. Roedd y cwm mor dawel â'r bedd.

Dywedodd ei fam wrtho unwaith nad y meirw oedd y rhai i'w hofni ond y byw. Cydiodd yn dynnach yn yr wy gan geisio denu cysur o'i blisgyn brau. Camodd ymlaen ar hyd y ffordd. Ceisiodd ganolbwyntio ar roi un droed o flaen y llall. Roedd y dagrau'n oer ar ei fochau a sŵn ei grio yn atseinio ar yr heol ac yn erbyn wal y capel. Wedi i'r argae agor, roedd hi'n amhosib iddo atal y llif. Symudai'n araf gan frwydro yn erbyn ei awydd i droi'n ôl am adre. Byddai ei dad yn ei alw'n fabi unwaith yn rhagor. Roedd y crio wedi llenwi'i gorff erbyn hyn a'i fol yn crynu heb ddim rheolaeth.

"Mam!" mentrodd, gan ofni sŵn ei lais ei hun. "Mam!"

Dechreuodd redeg. Rhedodd heibio adfail y capel. Rhedodd

heibio i'r rhawiau a'r rheiny'n pwyso yn erbyn y croesau marmor. Rhedodd a chrio nes bod y gwaed a sŵn ei draed yn pwmpio yn ei ben. Rhedodd rhwng y cloddiau a'i freichiau'n chwipio yn y gwynt. Rhedodd drwy'r pentref tawel, ar draws y cwm, heibio i'r peiriannau cyn dechrau dringo'r heol serth. Roedd ei ysgyfaint yn llosgi.

Gadawodd y cwm ar ei ôl a dringo i fyny i'r tir uchel lle gwyddai y byddai ei fodryb yn aros amdano. Roedd ei siwmper yn wlyb domen erbyn iddo gyrraedd y buarth a'r cŵn yn ei gyfarch drwy gyfarth yn aflafar.

Roedd y bàth yn gynnes o flaen y tân a'r cloc hir yn cerdded yn ddiog yng nghornel yr ystafell. Smociai ei ewythr faco melys yn ei gadair gan edrych allan drwy'r ffenest.

"Pam uffern wnaeth o anfon yr hogyn draw ffor' yna?" meddai gan chwythu'r mwg cynnes i gyfeiriad gwydr oer y ffenest.

Anwybyddodd ei wraig ei sylw wrth osod dillad glân i erio ar y stôl o flaen y tân gan gasglu siwmper a throwsus byr y bachgen a'u cario yn ei chôl i'w ystafell wely. Edrychodd y bachgen ar y bowlen o de cryf a digon o siwgwr ynddo yn oeri wrth ymyl ei fàth. Gwrthododd swper. Edrychodd ei ewythr ar ei wraig wrth iddi wisgo'r bachgen a'i gario i fyny'r grisiau. Teimlai ei ben yn drwm, ac edrychai'n fachgen iau wrth iddi ei gario i'w wely. Gwnaeth ei fodryb yn siŵr fod y dillad gwely'n dynn amdano a'r cwilt yn gynnes am ei gorff.

"Rŵan 'ta... cysgu'n dynn sydd isio," meddai hi wrth blannu cusan ar ei dalcen.

Trodd am y drws.

"Ble aethon nhw â nhw?"

Arhosodd ei fodryb yn stond. Trodd i edrych arno. Roedd golau'r lleuad trwy'r ffenest wedi gwynnu gwallt y bachgen. Llyncodd ei phoer.

"Pwy?"

"Nhw..." ailadroddodd y bachgen.

"Mae rhai yn cael eu symud o'r fynwent... a rhai yn aros."

Nodiodd y bachgen yn araf.

"Ond mi dwi isio aros hefyd..."

"Dwi'n gwybod hynny." Llyncodd ei phoer.

"Dos i gysgu rŵan... daw dy dad yma cyn y bore."

Gwyliodd olau'r landin yn diflannu oddi ar y nenfwd wrth iddi gau'r drws. Clywodd leisiau yn y pellter. Gwrandawodd ar y mwmian am yn hir a blinder yn trymhau ei lygaid. Yna, cofiodd am yr wy. Cododd a thynnu ei drowsus tuag ato. Roedd yr wy yn oer fel dŵr llyn. Daliodd ef i fyny yng ngolau'r lleuad a'r plisgyn yn oer fel marmor. Doedd ganddo ddim deigryn ar ôl. Edrychodd ar yr wy diffrwyth a'i droi yng ngolau arian y lleuad gan feddwl pa mor gyflym y diflannodd y gwres drwy ei fysedd.

*

Yn ôl yn y ffermdy, fe orffennodd ei dad gario'r bocsys i'r trelar. Gwyliodd y tân yn araf ddiffodd a throdd ei gefn ar yr ystafell fach. Caeodd y drws ar ei ôl, ac er na wyddai pam, fe glodd y drws. Gwyliodd y ci'n neidio i gefn y trelar. Cerddodd at y nant o flaen y tŷ a'r allwedd yn dynn yn ei law. Gwyliodd hi'n fflachio'n arian cyn suddo yng ngolau'r lleuad i'r dŵr oer. Gwenodd wên wan, cyn troi a gadael Cwm Celyn am y tro olaf.

Orlando

Manon Steffan Ros

*Mewn clwb nos i hoywon yn Orlando, Florida, saethodd Omar
Mateen 49 yn farw ac anafu 53 arall.*

ROEDD RYAN WEDI deffro'n gynnar y bore hwnnw.
Gorweddai yn y gwely yn gwrando ar y bore'n llifo i mewn
drwy'r ffenest agored – trydar yr adar mân, grwndi ambell gar, ac
ochenaid y dŵr yn tasgu'n gawodydd o'r pibellau i'r lawntiau. Cyn
bo hir, byddai'r plant drws nesaf yn codi ac yn chwerthin ac yn
ffraeo yn yr ardd. Ond am nawr, dim ond synau diwrnod newydd
oedd i'w clywed. Diwrnod newydd, ac anadl rhythmig Jonathan
yn cysgu wrth ei ymyl.

Trodd Ryan i edrych ar ei gariad, a hwnnw ar goll mewn
trwmgwsg. Roedd ganddo hanner gwên ar ei wyneb, fel petai wedi
ymgolli mewn breuddwyd hafaidd, clên. Estynnodd Ryan ei law
a mwytho grudd ei gariad yn ysgafn. Roedd croen Jonathan yn
gynnes ac yn llyfn fel petalau blodyn ar ddiwrnod poeth, a phan
agorodd ei lygaid a gwenu, blodeuodd rhywbeth yng nghalon

Ryan. Doedd dim yn y byd yn fwy naturiol, yn fwy greddfol, na deffro yn ymyl y dyn yma bob bore.

Yn ddiweddarach, a'r dydd ar ei boethaf a bywyd go iawn wedi cymryd lle heddwch y bore bach, safai'r ddau gariad y tu allan i'r archfarchnad yn dadlau'n hwyliog dros y rhestr siopa. Yn ôl ei arfer, Jonathan oedd yr un i drio hudo Ryan ar gyfeiliorn melys, brasterog – gan geisio ychwanegu *donuts* a menyn cnau at y rhestr siopa. Chwarddodd Ryan, cyn sôn am y milltiroedd o redeg y byddai'n rhaid iddo'u gwneud i gael gwared ar y calorïau. Pwysodd draw i wasgu cusan sydyn ar wefusau meddal ei gariad. Câi'r ddadl barhau yn yr archfarchnad.

Diflannodd y ddau i berfeddion y siop.

Eisteddai dyn yn ei gar yn gwylio'r ddau gariad cyn iddo'u colli yn y siop. Roedd hi'n ferwedig heddiw, yntau'n chwysu, ond teimlai wres llawer poethach yn llosgi'n las y tu mewn iddo. Byddai ei dymer o'n ffrwtian ac yn byrlymu o hyd, yn rhywbeth digon gwenwynig i droi cusan yn bechod, a chariad yn afiechyd.

Blodeuodd rhywbeth ofnadwy yng nghalon y dyn.

Ochneidiodd, a sychu'r chwys oddi ar ei dalcen. Roedd o'n casáu'r gwres, a gallai deimlo cur pen yn hel fel storm yn ei ben. Trodd ei feddwl at y gynnau oedd yn ei gwpwrdd o dan y grisiau gartref, a dychmygodd dwrw eu bwledi yn tawelu chwerthin y diwrnod braf. Byddai oerfel y metel yn siŵr o leddfu ychydig ar wres ei dymer.

Pwyntiau trafod

Mari Llwyd

Y Daith
Cynan Llwyd

1. Cwestiwn agoriadol i'w drafod mewn grŵp. Dyma bethau y byddai rhai yn eu hystyried yn hanfodion bywyd:

Bwyd	Teulu
Dŵr	Diogelwch
Cartref	Paned o de
Iechyd	Cynhesrwydd
Cariad	Siocled
Rhyddid	Ffôn symudol

A fyddech chi'n ychwanegu unrhyw beth arall at y rhestr hon? Beth yw'r pump pwysicaf yn eich barn chi? Eglurwch eich dewis i weddill y dosbarth.

2. Wrth ddarllen y stori nodwch unrhyw eiriau neu ymadroddion sy'n awgrymu bod dŵr yn werthfawr. Pa dechnegau mae'r awdur yn eu defnyddio i wneud hyn? Pa un sydd fwyaf effeithiol yn eich barn chi?

3. Adroddir y stori mewn cymysgedd o naratif, deialog, a darnau mwy barddonol. Beth, yn eich barn chi, yw bwriad

yr awdur wrth gynnwys y rhannau barddonol? Ydyn nhw'n effeithiol?

4. Ceir diweddglo dramatig. Pam mae Joseff yn gwneud y penderfyniad hwn? Pa bethau y daeth Joseff i'w hystyried yn hanfodion bywyd?

Pen Draw'r Enfys
Llinos Dafydd

1. Pam mae'r awdur wedi dewis storm fel cefnlen i'r stori?
2. Sut mae'r ôl-fflachiadau yn gymorth i ni werthfawrogi cyflwr meddwl Lora Haf?
3. Gwaith llafar mewn pâr. Eglurwch i'ch gilydd, yn eich geiriau eich hun, beth yw'r tro yng nghynffon y stori.
4. Ar ôl darllen y stori, esboniwch arwyddocâd y teitl 'Pen Draw'r Enfys.'

Croesi Ffin
Sian Northey

1. Cwestiwn agoriadol i'w drafod mewn grŵp. Dychmygwch Gymru'r dyfodol a cheisiwch ddyfalu beth fydd wedi newid ymhen canrif. Meddyliwch am dri pheth fydd wedi newid er gwaeth a thri pheth fydd wedi gwella.
2. Mae deialog yn bwysig yn natblygiad y stori.
   - Sut mae geiriau'r milwyr yn ychwanegu at y tensiwn? Ystyriwch yr atalnodi a hyd y brawddegau.
   - Beth mae'r ddeialog yn ei ddatgelu am eu perthynas â'i gilydd? Dewiswch dair enghraifft ac esboniwch eu harwyddocâd.

3. Un o themâu'r stori hon yw pwysigrwydd mentro. Beth sydd gan y diweddglo i'w ddweud am fentro?

4. Ar ôl pwyso a mesur beth ddylai'r plant wneud nesaf, ewch ymlaen i orffen y stori mewn ffordd ddychmygus. Ceisiwch ddynwared arddull Sian Northey, gan ysgrifennu yn y person cyntaf a defnyddio amrywiaeth o naratif a deialog. Cofiwch fod y stori wedi ei lleoli yng Nghymru'r dyfodol.

Byd Crwn
Dylan Huw

1. Beth yw effaith ailadrodd y gair *'ymddangos/ymddangosodd'* yn rhan gyntaf y stori?

2. Wrth ddarllen y stori, gwnewch restr o'r cwestiynau yr hoffech chi gael ateb iddyn nhw. Does dim atebion twt a thaclus yma – rhaid i chi ddehongli a dod i gasgliad ar eich liwt eich hunan. Ydy'r math yma o stori yn eich bodloni?

3. Sylwch ar y defnydd o'r synnwyr clywed wrth i'r awdur ddisgrifio Alaw yn deffro ar ei bore cyntaf yn y bwthyn. Pa synau sy'n cael eu disgrifio a beth yw eu heffaith? Ysgrifennwch baragraff yn disgrifio'r synau a glywch chi wrth ddeffro bob bore. Cofiwch sôn am y synau amhersain yn ogystal â'r rhai hyfryd.

4. Trafodaeth mewn grŵp. Pam mae'r "drôn" wedi dewis hofran dros Craigwerdd a bod y "droniau" eraill wedi dewis hen bentrefi Cymreig mewn ardaloedd eraill?

Corff Mewn Cae... a Llwybr
Dylan Iorwerth

1. Mae hon yn stori dditectif, felly, wrth ddarllen, dychmygwch eich bod chi'n dditectif a gwnewch nodiadau i'ch helpu i ddatrys yr achos rhyfedd hwn.
2. Beth sylwch chi am hyd y paragraffau a'r brawddegau yn y stori? Pam ddewisodd yr awdur y dull hwn o ysgrifennu, yn eich barn chi?
3. Defnyddir cyffelybiaeth ddramatig i ddisgrifio ymddygiad y ddau blentyn – *"Fel ci at ei chwydu ei hun."* Beth yw ystyr ac effaith hyn?
4. Mae fel petai'r achos o lofruddiaeth yn cael ei ddatrys erbyn diwedd y stori. Yn eich grwpiau, trafodwch beth allai fod wedi digwydd i'r hen wraig a phwy oedd hi.

Y Gwahoddiad
Gareth Evans Jones

1. Plotiwch y rhannau o'r stori sy'n cael eu hadrodd o safwynt Ieuan ac yna'r rhai sy'n cael eu hadrodd o safbwynt Llio. Pam mae'r awdur wedi cadw'r ddau ar wahân?
2. Gwnewch restr o'r disgrifiadau sy'n datgelu bod Llio yn ddynes sâl. Pa dechnegau a ddefnyddia'r awdur i wneud hyn? Pa ddisgrifiad sydd fwyaf effeithiol yn eich barn chi?
3. Gyda pha un o'r cymeriadau yr ydych chi'n cydymdeimlo ag ef? Cofiwch esbonio eich atebion, a chyfeirio at rannau penodol o'r stori i gyfiawnhau eich dewis.

4. Does dim llawer o sgwrs rhwng Ieuan a Llio wrth iddyn nhw fwyta'r risoto. Sgriptiwch sgwrs rhyngddyn nhw, ar ôl iddyn nhw fod yn y parti.

'Dwedwch Fawrion O Wybodaeth'
Llio Maddocks

1. Ar ôl darllen rhan gyntaf y stori, disgrifiwch rieni Leus.
2. Gwaith pâr. Dewiswch ddarn o'r sgwrs rhwng Leus a Manon i'w berfformio. Ystyriwch sut y dylech chi ddarllen ac actio eich rhan chi a chofiwch ymarfer gyda'ch partner. Perfformiwch o flaen gweddill y dosbarth a gwrandewch ar adborth y disgyblion eraill. Beth oedd yn dda am eich perfformiad a sut y gallech chi wella'ch gwaith?
3. Pryd sylweddoloch chi'r gwirionedd am y stori? Nodwch rannau penodol o'r stori a wnaeth i chi ddechrau amau'r gwir a phryd yn union roeddech chi'n gwybod i sicrwydd eich bod wedi deall y stori'n iawn.
4. Mae tafodiaith yn bwysig yn y stori. Gwnewch restr o'r geiriau tafodieithol a cheisiwch esbonio pam mae'r awdur wedi penderfynu defnyddio'r dechneg hon. Beth yw'r effaith?

Achub Aran
Llio Maddocks

1. Cymharwch ddwy haen y stori – bywyd go iawn Siôn a'i fywyd fel Senna yn y gêm. Beth sy'n debyg a beth sy'n wahanol rhyngddynt?
2. Pa haen o'r stori sydd fwyaf diddorol yn eich barn chi –

bywyd go iawn Siôn neu antur y gêm? Dylech gyfeirio at y digwyddiadau a'r arddull ysgrifennu wrth ateb.

3. Mynegi barn. A ddylai Mrs Preis hysbysu'r Gwasanaethau Cymdeithasol am amodau byw Siôn ac Aron? Meddyliwch am resymau o blaid ac yn erbyn mynd at yr awdurdodau a threfnwch ddadl ffurfiol yn y dosbarth.

Hedfan Barcud
Gareth Evans Jones

1. Pa fath o berthynas oedd rhwng Tom a'i dad? Cyfeiriwch at y stori wrth ateb er mwyn cyfiawnhau eich barn.
2. Pam mae hedfan barcud wedi bod yn bwysig yn eu perthynas?
3. Wrth iddo hiraethu a galaru am ei dad, mae hedfan a gollwng y barcud ar ddiwedd y stori yn bwysig i Tom. Yn eich barn chi, beth yw arwyddocâd hyn?
4. Ysgrifennwch am brofiad a gawsoch chi o oedolyn yn dysgu sgil newydd i chi. Cofiwch sôn am eich teimladau yn ystod y broses yn ogystal â'r hyn a wnaethpwyd ac a ddywedwyd.

Plant Angor
Menna Machreth

1. Cwestiwn agoriadol i'w drafod mewn grŵp. Beth yw eich barn chi am sefyllfa'r ffoaduriaid yn ein byd? A ddylem eu croesawu i Gymru?
2. Ar ôl darllen y stori gwnewch restr o'r rhwystrau a'r problemau ymarferol y daeth Yara ar eu traws. Sut llwyddodd hi i ddatrys y problemau hyn, os o gwbl?

3. Gyda pha gymeriad yn y stori y gallwch chi uniaethu ag ef fwyaf? Pwy yw gwir arwr y stori – Yara, neu Ali ei brawd?

4. Dychmygwch fod Yara wedi cyrraedd Prydain yn ddiogel. Ysgrifennwch ei llythyr hi at Nadya.

Diwrnod Drwg
Cynan Llwyd

1. Trafodaeth a rhannu syniadau. Beth yw'r ffilm arswyd orau welsoch chi erioed? Oes modd mwynhau cael eich dychryn?

2. Rydym yn gwybod o ddechrau'r stori na fydd pethau'n gorffen yn dda. Gwnewch restr o'r cliwiau a ddefnyddia'r awdur i'n rhybuddio bod rhywbeth erchyll ar fin digwydd.

3. Yn eich barn chi, ai gwallgofddyn neu ddyn drwg yw'r prif gymeriad?

4. Ysgrifennwch adroddiad papur newydd yn sôn am yr achos hwn. Dylai'r pennawd fod yn dros-ben-llestri o ddramatig!

Torri Arferiad
Gwenno Mair Davies

1. Trafodaeth a rhannu syniadau. Ydy hi'n deg dweud bod bechgyn yn cael fwy o drafferth trafod teimladau na merched?

2. Mae rhan gyntaf y stori'n gorffen gydag ymateb Llŷr i alwad ffôn. Pwy ydych chi'n meddwl wnaeth yr alwad? Sgriptiwch yr alwad ffôn gyfan.

3. Mae blodau yn ddelwedd bwysig yn y stori hon. Beth mae Llŷr yn llwyddo i'w ddweud gyda blodau, na fyddai'n gallu dweud mewn geiriau?

4. Cymharwch y stori hon gyda 'Dwedwch Fawrion o Wybodaeth' gan Llio Maddocks. Sut mae'r ddwy stori'n debyg neu'n wahanol o ran themâu, cymeriadau, adeiladwaith ac arddull?

Terfysgwr
Dylan Iorwerth

1. Ar ôl darllen y stori, ewch yn ôl i ailddarllen y ddau baragraff cyntaf. Ydyn nhw'n fwy arwyddocaol nawr eich bod yn gwybod sut mae'r stori'n gorffen? Pam bod y sôn am yr alwad ffôn mor bwysig?
2. Mae'r stori'n manylu ar ychydig o funudau – deng munud ar y mwyaf. Dewiswch un o'r disgrifiadau manwl a geir yn y stori a dadansoddwch sut yr aiff yr awdur ati i greu'r tensiwn a disgrifio'r cyfan mor glir.
3. Oes neges i'r stori hon?
4. Dychmygwch mai chi yw'r terfysgwr. Rydych wedi sylweddoli eich bod yn euog o drychineb enfawr. Ysgrifennwch ymson yn mynegi eich teimladau.

Yr Wy
Caryl Lewis

1. Cyn darllen y stori bydd rhaid i chi ymchwilio i hanes Cwm Celyn. Gallech greu cyflwyniad o'r hanes ar ffurf pwerbwynt a'i gyflwyno yn un o wasanaethau'r ysgol.
2. Mae'r disgrifiadau yn defnyddio'r holl synhwyrau. Chwiliwch am enghreifftiau effeithiol o ddefnyddio'r synnwyr gweld, clywed, teimlo ac arogli. Pa fath o emosiwn sy'n cael ei gyfleu gan y disgrifiadau synhwyrus hyn?

3. Trafodaeth. Yn eich barn chi, a ddylai'r tad fod wedi anfon y mab i ffwrdd? Cofiwch gynnig rhesymau dros eich ateb.

4. Mae'r wy yn ddelwedd bwysig iawn yn y stori. Gwnewch restr o'r holl bethau y gwerthfawrogwn ac a ddeallwn am y stori, oherwydd yr wy.

Orlando
Manon Steffan Ros

1. Dyma enghraifft o lên meicro. Mewn stori fel hon mae'n rhaid i bob gair gyfrif. Ydy'r awdur wedi llwyddo i ddweud digon mewn ychydig eiriau? Ystyriwch y cwestiynau hyn er mwyn penderfynu a ydy'r stori'n llwyddiant:

   • A ydyn ni wedi dechrau adnabod Ryan a Jonathan?
   • Beth am y cefndir? Oes gennym syniad o leoliad?
   • Beth am y tywydd? A allwn ni ddychmygu bod yno?
   • Oes datblygiad i'r stori?
   • A ydyn ni'n ymateb mewn rhyw ffordd i'r dyn yn y car?
   • Oes neges i'r stori?

   Os ydych chi wedi ateb yn gadarnhaol i'r mwyafrif o'r pwyntiau uchod, yna mae'r awdur wedi llwyddo, er ei bod hi'n stori fer iawn.

2. Her! A fedrwch chi ysgrifennu darn o lên meicro, dim mwy na 300 gair?

Hefyd o'r Lolfa:

£5.99

EFA

'Rhoddaf i ti fy nghoron, fy ngwlad a fy mywyd.'

Bethan Gwanas

y Lolfa

£5.99

'Dwi'n mynd i Gymru. Ti'n dod gyda fi?'

YMA:
YR YNYS

LLEUCU ROBERTS

y Lolfa

£5.99

Am restr gyflawn o lyfrau'r Lolfa, mynnwch
gopi am ddim o'n catalog
neu hwyliwch i mewn i'n gwefan
www.ylolfa.com
lle gallwch archebu llyfrau ar-lein.

TALYBONT CEREDIGION CYMRU SY24 5HE
ebost ylolfa@ylolfa.com
gwefan www.ylolfa.com
ffôn 01970 832 304
ffacs 832 782

Argraffwyd gan Y Lolfa
Holwch am bris